VOICES FROM
PUERTO RICO

VOCES DESDE
PUERTO RICO

Red Sugarcane Press, Inc.
Other titles / Otros títulos

A Mirror in My Own Backstage
José Ángel Figueroa

Growing Up Gonzáles
Félix Rojas

Julia de Burgos: Child of Water
Carmen Rivera

Latinas: Struggles & Protests in 21ˢᵗ Century USA
Iris Morales

Shameless Woman
Magdalena Gómez

Through the Eyes of Rebel Women:
The Young Lords, 1969-1976
Iris Morales

Un Espejo En Mi Proprio Bastidor
José Ángel Figueroa

www.RedSugarcanePress.com

VOICES FROM PUERTO RICO

POST-HURRICANE MARÍA

VOCES DESDE PUERTO RICO

POS-HURACÁN MARÍA

Compiled and Edited by /
Compilado y Editado por

IRIS MORALES

RED SUGARCANE PRESS, INC.
New York, New York

Cover photo and design / Foto y diseño de la portada: Iris Morales
La Perla, San Juan, Puerto Rico, 2018
Flag Painted on Building. Artist Unknown.
Bandera pintada en un edificio. Artista desconocido.

ISBN-13: 978-0-9968276-6-9
Library of Congress Control Number: 2018968582
E-book version available / Versión de libro electrónico disponible

First Edition/Primera edición
Printed in the United States of America

For my mother,
Almida Roldán Reices

———————

Para mi mamá,
Almida Roldán Reices

CONTENTS
CONTENIDO

PARTE 2:
EL PUEBLO SE MOVILIZA Y ORGANIZA   151

VOICES FROM PUERTO RICO

VOCES DESDE PUERTO RICO

Introduction / Introducción:
Tengo A Puerto Rico En Mi Corazón[1]

IRIS MORALES

[ENGLISH VERSION]

My heart ached as I watched television reports about the impact of Hurricanes Irma and María in Puerto Rico. Irma hit the island on September 6, 2017 and left one million people without electricity. A few weeks later on September 20, María battered Puerto Rico with 155 mph winds and torrential rains that knocked out the entire communications infrastructure leaving islanders without electricity or access to clean water, food, or medical services. Puerto Ricans residing in the United States responded quickly, collecting and sending basic necessities; organizing fundraising events that raised millions of dollars; and rallying in Washington, D.C. to demand federal assistance that had not been forthcoming. It was clear—the US government abandoned Puerto Ricans to fend for themselves.

Like hundreds of thousands of Puerto Ricans living outside of the island, I tried desperately to reach family and friends, but the phone lines were dead. A group taking provisions and funds to the island asked me to join them; and, by October 4, I was in San Juan distributing supplies and meeting with local activists doing emergency relief work. Puerto Ricans mobilized to survive extraordinarily difficult circumstances: clearing roads and distributing food and water. They tended to the sick and elderly, put up tarps, installed generators, and distributed solar lamps, among other vital tasks. Community activists organized long-term initiatives building resilience from the ground up. The

---

1. The Young Lords Organization, founded in Chicago, Illinois in 1968, popularized the phrase, *"Tengo Puerto Rico en mi Corazón"* (Puerto Rico is in my heart). Members proudly wore a button with these words and a drawing of the island. It expressed our love for Puerto Rico, our longing for home, and our shared commitment to the island's independence.

Federal Emergency Management Agency (FEMA) was nowhere to be found.

In early December, I returned to Puerto Rico arriving in the city of Aguadilla to check on family and then traveling to meet with local groups doing recovery work across the island. The collaborative spirit, creativity, strength, and love and kindness that Puerto Ricans showed each other inspired me. I thought to put together a collection of writings from people who lived through the hurricanes and had directly experienced its ravages. My focus would be on the accounts of local community leaders, activists, organizers, and voices usually not heard.

Friends and colleagues helped circulate information about the project to a wide range of grassroots groups and organizations in Puerto Rico. I began to receive submissions, mostly in Spanish, written during September 2017 through December 2018. I committed to have the selections translated, since the book was intended for both Spanish and English language readers interested in Puerto Rico, particularly the Puerto Rican diaspora. Today, more Puerto Ricans live in the fifty United States than in Puerto Rico and can play an important role supporting community-based groups and social justice movements on the island.

Voices from Puerto Rico: Post-Hurricane María brings together first-person chronicles, poetic inspirations, journalistic essays, interviews, manifestos, photos, and articles received from activists, artists, educators, front-line movement organizers, and community leaders, twenty-two in total. Collectively, they open a window into the conditions in Puerto Rico and the growing grassroots activism in the aftermath of Hurricane María.

The anthology has three main parts. Part 1, *Impact of Hurricane María*, opens with a vivid reflection by 10-year-old poet Sarah Dalilah Cruz Ortiz, the anthology's youngest contributor. Poems and essays in this section describe events during and after the hurricanes, detail the physical destruction of the island, and the deprivations, pain, and hardships suffered by the people. But these are not *"Ay bendito"* or "woe is me" stories. Rather, they reveal how Puerto Ricans understand the colonial conditions afflicting their lives. They echo a consensus: Hurricane María ripped the veil off Puerto Rico to expose US colonialism—massive poverty, lack of infrastructure, and environmental damage resulting from more than 120 years of exploitation and extraction—and a local administration, corrupt and inept. Government officials initially reported sixteen hurricane-related deaths, but independent researchers proved the number was 3,000 or more. As the journalist Ana Teresa Toro writes in the first essay, the hurricanes were "a new opportunity for us to learn that disasters are natural, but responses are political."

In part 2, *The People Mobilize and Organize*, the authors narrate stories of bottom-up solutions to meet the destruction caused by the climate catastrophe and the ongoing economic and political crisis. The year before Irma and María struck the island, the US Congress passed the Puerto Rico Oversight, Management, and Economic Stability Act (PROMESA) appointing a seven-member board that immediately imposed enormous cuts to public services.

The essays, poems, and interviews in his section detail the widespread poverty, entrenched racism, and austerity realities that Puerto Ricans were already experiencing. In confronting Hurricane María, islanders joined together with a heightened sense of community. Several writers chronicle their work in volunteer brigades delivering supplies and comfort to people and regions held incommunicado by impassable roads buried in mudslides and fallen trees. Others describe organizing mutual support centers trusting in the power of the people to change their conditions and opposing a system that puts the luxuries and privileges of the rich over the basic needs and human rights of the poor.

This growing "movement from below" practices the "politics of listening," which activists explain as learning from the people and allowing "space for the birth" of local leadership. It looks to transform the "colonized mind,"[2] the acceptance as inherently superior of the colonizer's views and values instilled by the process of colonization. Raquela Delgado Valentín, a community organizer from Mayagüez, emphasizes the over-

---

2. The "colonized mind" is a concept advanced by Franz Fanon, the Martinican psychiatrist, whose work documents how colonialism is internalized and an inferiority complex inculcated in the people who are colonized.

arching goal of emerging networks to rebuild Puerto Rico "from a place of social justice, equity, and decolonization."

In part 3, *Reimagining Puerto Rico's Future*, the contributors discuss challenges, strategies, and possibilities for new directions. How the island is rebuilt is pivotal. On one side, US political and corporate interests and Puerto Rican political elites promote the reincarnation of the status quo, privatization of most sectors of society, neoliberalism, and increased police surveillance and militarization of the country. On the other side, grassroots groups seek an equitable and sustainable future, not reruns of the past. Puerto Ricans are weary of colonial domination and worry that US corporate interests are fashioning paths for vulture capitalists to construct "a Puerto Rico without Puerto Ricans." Patriot and nationalist leader Rafael Cancel Miranda warns: "As thousands of Boricuas are forced to leave their native home, the colonial government continues to hand the homeland over to American millionaires."

Hurricane María so painfully brought attention to the island's miserable circumstances. The scramble for food in the immediate aftermath underlined the urgency to build Puerto Rico's agriculture and food production: 85 percent of the island's food is imported. Food sovereignty activists describe increased farmer-to-farmer organizing and initiatives building agro-ecological farming. Similarly, the communications breakdown exposed an archaic system. Most of Puerto Rico's electricity comes from fossil fuels although solar and wind power can meet its needs. Environmentalists Arturo Massol Deyá and Ruth Santiago outline the "energy insurrection" already taking place as grassroots projects switch to structures that benefit the people rather than multinational corporations.

Community organizer Giovanni Roberto Cáez considers "the renaissance of radical grassroots self-management" as a new and positive force in doing politics in Puerto Rico. He concludes:

> The debate of our time is, in some ways, very classic, for it has to do with what our main strategy will be to effect change for the next decade. For this, we must reinvent ourselves and develop a new work method, which ... could be summarized along these lines: listen before all else, work with people's needs, act

firmly and through sacrifice, and, of course, ask for neither forgiveness nor permission.

The fierceness of Hurricane María brought the eyes of the world to witness the combined injustices of colonialism and climate disaster in Puerto Rico. US imperial policies and actions were on brazen and shameless display. As Puerto Ricans organized to survive the immediate catastrophe, a new chapter opened in the fight for national self-determination. In the following pages, *Voices from Puerto Rico* reflect on these events and on the renewed struggle for a sustainable nation free from colonialism and exploitation.

New York City
2018

Introduction / Introducción:
Tengo a Puerto Rico en mi Corazón[1]

IRIS MORALES

[VERSIÓN EN ESPAÑOL]

Se me partió el corazón viendo los informes en televisión sobre el impacto de Irma y María en Puerto Rico. Irma tocó tierra el 6 de septiembre de 2017 y dejó a un millón de personas sin luz. Dos semanas después, el 20 de septiembre, María embistió contra Puerto Rico con vientos de 155 mph y lluvias torrenciales que colapsaron la infraestructura de telecomunicaciones en su totalidad, dejando a los residentes de la isla sin luz y sin acceso a agua potable, alimentos o servicios médicos. Los puertorriqueños que residen en Estados Unidos respondieron rápidamente, recolectando y enviando necesidades básicas, organizando eventos que levantaron millones de dólares, y haciendo piquetes en Washington, D.C. para exigir ayudas federales que ni siquiera estaban bajo consideración. La situación fue clara: el gobierno estadounidense abandonó a los puertorriqueños a que se las arreglaran por cuenta propia.

Igual que otros miles de puertorriqueños fuera de la isla, traté desesperadamente de localizar a mis familiares y amistades, pero las líneas de teléfono no funcionaban. Un grupo que iba a llevar provisiones y fondos a la isla me pidió que fuera con ellos, y el 4 de octubre ya me encontraba en San Juan distribuyendo suministros y reuniéndome con activistas que estaban gestionando esfuerzos de emergencia. Los puertorriqueños se movilizaron en circunstancias extraordinariamente difíciles: abriendo paso en las carreteras y repartiendo agua y comida. Se

---

1. La organización *Young Lords*, fundada en Chicago, Illinois, en el 1968, popularizó la frase 'Tengo Puerto Rico en mi corazón' [sic]. Los integrantes ostentábamos un broche con la frase y un dibujo de la isla, expresando así nuestro amor por Puerto Rico, nuestro anhelo por la patria y nuestro compromiso compartido y colectivo con el movimiento independentista en la isla.

encargaron de los enfermos y los envejecientes, instalaron toldos y generadores, y repartieron lámparas solares, entre otro montón de tareas vitales. Líderes comunitarios se encargaron de establecer iniciativas a largo plazo, construyendo resiliencia desde abajo. Y FEMA, la Agencia Federal para el Manejo de Emergencias, brillaba por su ausencia.

A principios de diciembre regresé a Puerto Rico, esta vez aterrizando en la cuidad de Aguadilla para ver cómo estaban mis familiares y reunirme con grupos locales que estaban gestionando esfuerzos de recuperación a través de la isla. El espíritu colaborativo, la creatividad y la fuerza de la gente, el cariño y la amabilidad del pueblo puertorriqueño con sus vecinos me inspiraron. Pensé en reunir una colección de escritos de personas que pasaron los huracanes y vivieron sus estragos directamente. Me enfocaría en las narraciones de líderes comunitarios locales, activistas, organizadores y voces que generalmente no son escuchadas.

Compañeros, compañeras y colegas ayudaron a circular información sobre el proyecto a una amplia gama de grupos y organizaciones de base en Puerto Rico. Comencé a recibir historias, mayormente en español, escritas entre septiembre del 2017 y diciembre del 2018. Me comprometí a asegurarme de que las obras fuesen traducidas, ya que el libro estaba dirigido a lectores de español e inglés interesados por Puerto Rico, particularmente la diáspora puertorriqueña. Hoy en día, hay más puertorriqueños residiendo en los cincuenta estados de Estados Unidos que en Puerto Rico, y pueden desempeñar un papel importante al apoyar a los grupos comunitarios y a los movimientos de justicia social en la isla.

En *Voces desde Puerto Rico: pos-huracán María* quedan recogidas crónicas en primera persona, poesía y prosa poética, ensayos periodísticos, entrevistas, manifiestos, fotos, y artículos enviados por activistas, artistas, educadores, organizadores en el frente de movimientos sociales, y líderes comunitarios, un total de veintidós autores y autoras. Colectivamente, nos abren una ventana a través de la cual nos asomamos a las circunstancias en Puerto Rico y el creciente activismo de autogestión tras el huracán María.

La antología está dividida en tres partes. La primera, *El impacto del huracán María*, comienza con una reflexión vívida escrita por la poeta de diez años Sarah Dalilah Cruz Ortiz, la más joven de nuestros contribuyentes. Los poemas y ensayos en esta sección describen eventos ocurridos durante e inmediatamente después de los huracanes Irma y María, narrando con lujo de detalle la destrucción física de la isla, las penurias, el dolor y las adversidades sufridas por la gente. Pero no son relatos de lástima por uno mismo ni de impotencia, sino relatos de un pueblo que entiende las condiciones del coloniaje que afligen sus vidas. Todas se hacen eco de un consenso: María le arrancó el velo a la isla, dejando la colonia estadounidense expuesta —la pobreza extrema, la falta de infraestructura, el daño ambiental a raíz de más de 120 años de explotación y extracción— y un gobierno local corrupto e inepto. Los funcionarios gubernamentales inicialmente reportaron dieciséis muertes relacionadas con el huracán, pero fuentes investigativas independientes comprobaron que la cifra real ascendía a 3,000 o más. Tal y como afirma la periodista Ana Teresa Toro en el primer ensayo, los huracanes fueron "una oportunidad más para entender que los desastres son naturales, pero la respuesta a ellos es política".

En la segunda parte, *El pueblo se moviliza y organiza*, los autores y las autoras narran una serie de soluciones construidas desde abajo para enfrentar la destrucción a causa de la catástrofe climática y la crisis económica y política. El año antes de los huracanes, el congreso estadounidense había pasado la Ley PROMESA ('Puerto Rico Oversight, Management, and Economic Stability Act' o 'Ley para la Supervisión, Manejo y Estabilidad Económica de Puerto Rico'), que nombró a una junta compuesta por siete miembros que procederían inmediatamente a implementar recortes enormes en el sector de servicios públicos.

Los ensayos, poemas y entrevistas de esta sección expresan en gran detalle la pobreza generalizada, el racismo arraigado y las realidades de la austeridad que ya se vivía en Puerto Rico. Al tener que enfrentarse a María, los isleños se unieron con mayor sentido de comunidad. Varios escritores y escritoras relatan su trabajo voluntario en brigadas para repartir suministros y consuelo a personas y regiones incomunicadas a causa de carreteras impasables, enterradas bajo derrumbes y árboles caídos. Otros, describen su involucramiento en la organización de centros de apoyo mutuo, confiando en el poder del pueblo para cambiar sus circunstancias y oponiéndose a un sistema que dé prioridad a los lujos y privilegios de los adinerados a costa de las necesidades básicas y derechos humanos de los pobres.

Los crecientes 'movimientos desde abajo' implementan la 'política de escuchar', definida por los activistas como la práctica de aprender de la gente y crear un 'espacio para el nacimiento' del liderazgo local. Busca transformar la "mente colonizada[2]", la aceptación de las ideas y valores del colonizador inculcada por el coloniaje como inherentemente superiores. Raquela Delgado Valentín, organizadora comunitaria de Mayagüez, enfatiza que estas redes emergentes tienen como meta la reconstrucción de Puerto Rico "partiendo desde la justicia social, la equidad y la descolonización".

En la tercera parte, *Reimaginando el futuro de Puerto Rico*, lxs contribuyentes discuten los desafíos, las estrategias y las posibilidades de nuevas direcciones. El tema esencial es la mejor manera de reconstruir la isla. Por un lado, las élites políticas y los intereses corporativos de Estados Unidos y Puerto Rico pro-mueven la reencarnación del *status quo*, la privatización de grandes sectores de la sociedad, el neoliberalismo y mayor vigilancia policial y militarización del país. Por otro lado, las organizaciones comunitarias de autogestión persiguen un futuro sustentable y equitativo, no variaciones de un mismo tema pasado. Los puertorriqueños están cansados de la dominación colonial y temen que las políticas estadounidenses e intereses corporativos estén tratando de abrir paso para que los buitres capitalistas reconstruyan "un Puerto Rico sin puertorriqueños". El patriota y líder nacionalista Rafael Cancel Miranda advierte: "Mientras miles de boricuas se ven obligados a dejar su hogar patrio, el gobierno colonial sigue entregándoles la patria a millonarios estadounidenses".

El huracán María enfocó toda la atención en las condiciones míseras de la isla de una manera desgarradora. La lucha desesperada por conseguir alimentos inmediatamente después subrayó la urgencia de desarrollar la agricultura en Puerto Rico: el 85 por ciento del consumo actual de alimentos es importado.

---

2. La "mente colonizada" es un concepto propuesto por Franz Fanon, psiquiatra martiniqués, cuya obra documenta la asimilación del colonialismo y el complejo de inferioridad inculcado en pueblos colonizados.

Los activistas de soberanía alimentaria describen una mayor organización e iniciativas de agricultor a agricultor para desarrollar la agricultura agroecológica. Paralelamente, la caída de la infraestructura de telecomunicaciones sacó a relucir un sistema arcaico. La inmensa mayoría de la electricidad en Puerto Rico proviene de la quema de combustibles, pero la disponibilidad de energía solar y eólica es suficiente para satisfacer la demanda de la isla entera. Los ambientalistas Arturo Massol Deyá y Ruth Santiago describen la "insurrección energética" que ya se está produciendo a medida que los proyectos de base cambian a estructuras que benefician a la gente en lugar de a las corporaciones multinacionales.

El organizador comunitario Giovanni Roberto Cáez considera que "el renacimiento de la autogestión radical" es una fuerza nueva y positiva para hacer política en Puerto Rico. Concluye:

> El debate de nuestro tiempo es de algún modo muy clásico, pues tiene que ver con cuál será nuestra estrategia principal de cambio para la próxima década para lo cual estamos obligados y obligadas a reinventarnos y desarrollar un método de trabajo, que hasta el momento [...] se resumiría así: escuchar primero que todo, trabajar con las necesidades de las personas, actuar con firmeza y sacrificio, y claro, no pedir perdón ni permiso.

La ferocidad del huracán María trajo los ojos del mundo como testigos de las injusticias combinadas del colonialismo y el desastre climático en Puerto Rico. Las posturas imperialistas estadounidenses quedaron descarada y desvergonzadamente en exhibición. Mientras los puertorriqueños se organizaban para sobrevivir la inmediata catástrofe, se abría un nuevo capítulo en la lucha nacional por la autodeterminación. En las próximas páginas, estas *Voces desde Puerto Rico* reflexionan sobre lo acontecido y sobre la lucha renovada por una nación sustentable y libre de colonialismo y explotación.

Nueva York
2018

VOICES FROM PUERTO RICO

POST-HURRICANE MARÍA

PUERTO RICAN POPULATION

PUERTO RICO

The US Census estimates Puerto Rico's 2018 population at 3,195,153, down 14.3 percent from 3,726,157 in 2010.

UNITED STATES

In 2016, the number of Puerto Ricans living in the fifty United States was estimated at almost 5.5 million according to the Center for Puerto Rican Studies in New York. There are no official numbers for 2018 at this time, but a substantial increase in the US Puerto Rican population is expected due to the large migration after Hurricane María.

PART 1.
IMPACT OF
HURRICANE MARIA

"History is a prophet who looks back; because of what was, and against what was, it announces what will be."

Eduardo Galeano
Open Veins of Latin America:
Five Centuries of the Pillage of a Continent

Landscape of Puerto Rico After Hurricane María

Courtesy: Brigada de Todxs, 2017

MARÍA WITHIN ME

SARAH DALILAH CRUZ ORTIZ

Ribbons of wind
beating my body.
An intense chill grazed my heart,
announcing the arrival of the tempest.

Leaves, branches, rooftops,
houses, trees, street signs
they all became drunken birds
lost amid the heaviness.

Shooting stars
crashing against my window.
Incommunicated…
yet having an unforgettable time
with my barrio.

Hunger, deaths, fear, uncertainty…
Rivers bleeding
within broken mountains.
And the impending dawn –
it never came.

And it all took place within one lifetime…

June 2018

MARY, DEVOID OF GRACE.
CHRONICLE

A<small>NA</small> T<small>ERESA</small> T<small>ORO</small>

SAN JUAN — What else will the sea take with it? Answers from the diary of a colonized woman.

Saturday, September 23, 2017: *The Apparition*

The only thing left was the toilet. As always, once everything is done, the disgust is revealed, the insides. The horror. This was the view of the hills of Barrio La Sierra in Aibonito. There were no roofs or walls left on the houses; the roads were still blocked by trees; the power lines were still down; and the smell of dead chickens—emanating from the devastation of the farms (now roofless frames) of a large portion of the national poultry industry—corroborated the obvious: this is not the country we thought we had. On the mountain, what one saw was a row of toilets, nothing else. Everything was exposed.

María's path over us began on Wednesday, September 20th, at night. Almost 24 hours of rainfall, and wind, and fury. It pierced the island of Puerto Rico right through its center, from north to south, squeezing its bowels tight. A full-out assault.

In a country brimming with official Marian societies, where there are constant apparitions of the Virgin Mary on walls, on tree trunks, on plantain and coffee stains, the fact that a hurricane dons her name makes use of all imaginable symbolic value. As the faithful say: mysterious ways.

On this September 23rd no one remembered the commemoration of *El Grito de Lares*, the failed attempt to make Puerto Rico an independent nation. But what difference does a historic failure make when just a few days before the entire country suddenly crumbled?

September 27, 2017: *Shock and the Goddam Calm*

Arriving home after days with no news from our people. Finding them there and hugging them like you hug someone who's back from a long trip. Feeling that we've survived something very intense, because we have. Being glad to see even those we don't love as much. Crying over the familiar landscape that is no longer recognizable, over many memories no longer attached to a physical body. Having no news of so many, while having complete certainty that more than a hundred people remain lost, that as you stand in line for twelve hours to buy gas, dozens of patients will die because hospitals have no diesel, and oxygen will not get there in time nor will they have access to dialysis; people will die (and did die) without being given even the basic dignity of being counted. Knowing there are barrios completely cut off from the outside world, because everything collapsed. Feeling the world has abandoned us. Fearing the calm more than the wind. Fearing that what's left of the country will be sold for pennies like stinky fish at the market; fearing that once the international journalists leave, no one will care anymore; fearing that, when they stop counting us, we may stop existing. I fear all this.

But this feeling of abandonment and being under siege is over a century old. Back in 1898 when the United States invaded, it was established that "the island was occupied by force, and the people have no voice in determining their own fate," as pointed out by General George Davis, one of the first military governors of the island. Towards the end of 2015, the US Supreme Court would remind Puerto Rico, through its decision in *People v. Sánchez Valle*, that nothing has changed. It was again ratified that the Commonwealth of Puerto Rico, better known by its Spanish acronym, ELA[1], has no sovereignty of its own when dealing with the federal constitutional clause against double jeopardy, which prohibits indicting twice for the same crime. In other words, the ELA and the United States are not two independent sovereigns; therefore, the government may not bring forth charges against the same person in two separate cases for the same crime. Thus perishes the illusion of our frail sovereignty. The colony is, nothing more.

To this we must add the refusal of the US Congress to allow for a local bankruptcy bill, preventing the country from declaring itself broke, and leaving it subject to the imposition of

---

1. "*Estado Libre Asociado,*" Free Associated State.

a Fiscal Control Board, most unfortunately called PROMESA.[2] In addition, let's consider the newest massive wave of migration provoked by the fiscal crisis.

Under this prolonged siege, this diffused condition of "country"—which it is because it's a nation, but that cannot be, because it's not a state—María came to visit.

September 30, 2017: *Lines with No Magic*

Day 10. We've become experts on lines for gas and ice. I prefer the latter. Hours and hours to buy the frozen wonder that will take less time to melt than what it took for us to get to it. Knowing ice will always be a big deal, hallmark of the Caribbean. Ice is worth it, just like life is worth it: even though we have the certainty of death; it's worth freezing the ice even though it will melt. Gabriel García Márquez, in his book *One Hundred Years of Solitude*, knew it. After all, it was always more realism than magic. The thing is, there are diabetics here who will die because they can't keep their insulin cold.

October 1, 2017: *A New Calendar*

María's legacy is the calendar of shock: a new era began on September 20th. We count the days since we last heard from our family members, the days without drinking water, without power, without pay, the 5,000 farewells we say each week to our brothers and sisters who leave and will most likely never return. We count the days since everything stopped working, since they started beating us over the head with the daily *"Puerto Rico se levanta"* campaign—"Puerto Rico rises"—when the only things getting us up from bed were the mosquitoes and the heat, and the anxiety of not knowing if we'll ever come home again. We didn't leave home; home left us, quite literally for so many with no roofs, and metaphorically for the rest of us. It's very hard to go back home when said home shows its true nature.

October 3, 2017: *The Visit*

The colonized person who is spat upon says, "thank you." It's a built-in reflex, one may say. The visit of the president of the United States, who shall not be named, was a new opportunity

---

2. PROMESA, acronym for "The Puerto Rico Oversight, Management, and Economic Stability Act," passed by the US government in 2016.

for us to learn that disasters are natural, but responses are political. The thing is, the colonized are taught not to politicize. After all, why speak of power when we have none?

I met US politicians who, candidly, told me as a sign of empathy: "Don't worry. We're gonna push for statehood." I smiled. They have no clue. It doesn't occur to them that we may have a desire to choose our destiny. Nowadays, statehood is an option that could reach majority support, but for more than one hundred years, it has not been that way. The colonized person is looked upon as an infantile political being. And here we are again, wanting equal footing to negotiate at the table and receiving a roll of paper towels as a gift. Those who are not grateful shall be outcasts in their own land. Exhibit A: the Mayor of San Juan.

More than fifty days have passed since the hurricane, and over half of the island is still without electricity. Where there is power, it comes and goes; I can't imagine a suburb in the United States being without electricity for fifty days. On Thursday, those whose power had returned lost it again in a general blackout. There are still people missing, and the ambiguity regarding the death toll continues to be unresolved. No one will accept what's evident. The dead are too many, and many could have been saved. Twenty-five percent of the population continues to be without drinking water, and epidemics flourish because we're living among the rubble and accumulated trash.

In the meantime, public debate insists on the perpetual comparison, seeking to cast us as antagonists to Cuba—seeking in vain. On one side, the left celebrates the efficiency of the Cuban recovery efforts after Hurricane Irma; and, on the other side, the right warns that the scarcity we're experiencing now will be everyday life if Puerto Rico becomes an independent nation. But our relationship with Cuba is like that of two cousins who've not been able to grow up together because of family quarrels; yet each time they meet again, they just pick up wherever they left off. We're family and, simultaneously, a mirror of the Caribbean's distorted image, that great petri dish of political projects. From being the "island of enchantment," brimming with dollars and progress—a perfect counterpart to the Cuban Project—we're now the bankrupt island living its exodus. After all, from paradise, all one must do is flee.

October 19, 2017: *The First Meme*

It seems like we can now start laughing—albeit shyly and with a tad of embarrassment—about what happened to us. Today I laughed at a meme warning that this year, the Christmas manger will have Joseph as a single father. María's grounded. I told my mother, and she got very serious, sad. I forgot it's the month of the rosary, and she's Catholic. Later, a friend told me that legions of women in his building are holding processions in the hallways, praying rosaries for the Virgin María. Devotion is intact. I have my grandmother's rosary at home, and I've placed it on my bedside table. I've already seen María's face. It's frightful.

November 5, 2017: *Sharks and White Fish.*

The director of the Puerto Rico Electric Power Authority, Ricardo Ramos, did not appear before the legislative commission in charge of Puerto Rican affairs to make a statement. He was supposed to explain his criteria for signing a 300-million-dollar contract with Whitefish to reestablish the electric grid. Whitefish, an unknown firm, had only two full-time employees at the time the contract was awarded.

The parade has been a long one: on one side, our governor, in a failed attempt at diplomacy and servility, bowed his head and gave President Trump a "10" for his inept response. As a reward, the governor received from the president the humiliation of a loan to a bankrupt country. On the other side, Ramos, at first a braggart is now meekly keeping quiet and hiding from the valid questioning about his incompetent dealings. Neither will gain a single thing for the country.

Puerto Rico will move pass the current situation in the only way it can: with a vastly reduced economy and population, and with its innards exposed, toilets out in the open. That was the great revelation that María had for us: we finally know what kind of country we had, a poor colony that lived a mirage for more than sixty years.

June 2018

(Reprinted with author's permission. Originally published in the Spanish edition of *The New York Times* on November 12, 2017 under the title, "María nos reveló una isla literalmente a la deriva" or "María Revealed an Island Literally Adrift.")

UNDER THE BLIND EYE

José Ernesto Delgado Hernández

Under the blind eye of these days,
eaten away by hunger and thirst,
any mother would like
the ability to weep milk
with which to suckle all the gazes
turning silent by inertia
and by this death that runs through,
which María left behind.

Over these beaten lands
there is a father clearing his way
with his machete and his rage
because one of his children
has fallen victim to the exile of electricity,
and his machines no longer pump air,
and just one gram of suffocation
could hasten his greatest fear…

Yesterday we were told that suppression
was wandering through our lives
dressed up as rat droppings;
that a source of infection
arrived clandestinely
to take down what's left
of the unstable health we keep stored
next to the last can of Vienna sausages.

Today, rain came down like a plague,
flooding streets and hopes,
and it feels as if water were swallowing us up
at our greatest moment of thirst,
and as if food were playing hide and seek
together with hunger, when a mother
puts her daughter to bed, and sobbing is all
that's left, as sole nourishment before sleep.

2017

CHRONICLES LIKE A HURRICANE

ALBERTO MARTÍNEZ-MÁRQUEZ

1.
so much embracing
of the light
and i then drown
in shadows

2.
people
were treacherous
the hurricane came
and
they turned kind
months went by
and then came
what is called
normalization
treachery
was normalized
(this time
with a vengeance)

3.
María is not a hurricane
but rather a lady hurricane
in my opinion
it hurts the same

4.
in the days
following

the hurricane
we never lacked
beer

nor
uncertainty

5.
it was
a 20th of september
the day when
my face
in flight
escaped
from the dream

6.
the hurricane erased
the roads

likewise
all names
ceased to exist

7.
there
in the distance
mountains
and coasts
would fill up
with dead bodies
of men
women
children
the elderly

i felt the gasping breath
of god
over
my temples
and then
i filled up
with an
immense anguish
because i knew then
that tomorrow
never was
another day

8.
after the hurricane
god said
let there be no light
water
cellphone
cable
internet
and some
basic necessities
god saw that the scene
was absolutely bleak
and roared with laughter

and then
went to rest
so that we all
would finish perishing
until the next catastrophe

June 8, 2018

Mural in Old San Juan, Puerto Rico. 2018

POST-HURRICANE MARÍA

MAITE RAMOS ORTIZ

Every morning
I get up without an alarm.
I check to see if there's still water.
In an old teapot,
I heat up water for a bath,
I pour it into a basin
and I temper it with cold water.
I wet my body with a cup,
a cup that is never enough.
When I am done, I dry myself,
I brush my teeth,
I brush my hair and I get dressed,
in complete darkness.

Every morning
I go out to buy ice
and also breakfast,
with the fear that I may die
at some intersection.

Every morning
I come back to refrigerate water
in a beach cooler
that has never left the house.

I eat my breakfast.
I turn on the gas stove,
I heat up more water in the teapot,
and I make myself tea.

Every morning
I go out onto the porch
with a random book
and my cup of tea.
I sit and wait,
to see if on this day, finally,
the electricity comes back.

January 2018

NOTES FROM BANISHMENT

José (Pepe) Orraca-Brandenberger

Brief meditations published on Facebook during October and November 2017.

Note 1. For a few days, I felt like María had forced me into exile. Now that it's been over two weeks of living abroad, I realize I'm not exiled—I'm banished. We could say that María prompted the move and that I escaped from the discomfort of the heat (no AC), the mosquitoes and the rotten water, intending to return as soon as possible. But it's banishment because I have no idea when or how I'll be able to return.

Note 2. Like everyone who's ever been banished, I search avidly for articles about the situation in the press, on TV, and on Facebook. I immediately started seeing a distancing, which grew wider every day, between the official reports, statistically optimistic, and the reporting in English language media. *El nuevo día* would publish all official reports, and people on Facebook would corroborate the narrative of apocalyptic destruction published by *The New York Times*, CNN, NBC, CBS, and ABC. As the saying goes: time reveals everything.

Note 3. Realizing, officially, that we can bury our head in the sand all we want, but the truth is the truth: after lots of percentages depicting the successes achieved, we were able to hear the governor repeat before the POTUS, before Congressmen, before the press, in English and Spanish, "there's still a lot to fix." His appeal to be treated like equals (equal citizens) seems to reaffirm what has been said for decades: our citizenship is a second-class citizenship. The repeated threats from POTUS to remove the feds that were helping on the island, contrary to the endless help for the federated states, puts an end to the debate.

Yes! Our citizenship, shoved down our throats in 1917, is a second-class citizenship.[1]

Note 4. Allegedly, our citizenship morphs into a first-class citizenship the moment we touch the continental United States. I'm not planning on testing this theory, lest it turns out to be another lie from our politicians. For now, while we wait for the island's resurrection, I will continue exploring my neighborhood. I've already stumbled upon the famous *Marketa*, a true marvel to come across a market square in the middle of Manhattan. Not only do they sell root vegetables (taro root, yam, yucca), they also have salted cod, wide-leaf cilantro, and a lot of ingredients fundamental to our culinary tastes. (Warning: it's not exclusively for Hispanics.)

I went to the Oculus and to the fountain in remembrance of the September 11 attack. Striking! The former is so because of its vastness. And in the latter, the architectural solemnity of the fountain seems to echo the pain that so many suffered. A small flower placed next to the name of one of the countless dead reminds us that 9/11 wasn't just an abstract/political event, but rather one lived in the flesh.

Note 5. Five hundred years of colonialism have begotten (mandatorily) a clandestine and, as such, illegal economy on our island. Those of us who live on the island have seen how this economy of pirates and corsairs has flourished to the point of matching the legal economy, while at the same time fermenting official corruption.

Front pages across US media today reported on the suspicious hiring of a ghost company to solve the issues that the Puerto Rico Electric Power Authority (PREPA) and the government of Puerto Rico (known by its Spanish acronym, ELA) have been incapable of solving. In detective novels, when there's doubt, the protagonist always asks him—or herself: Who benefits from this furtive action?

It's easier to determine who does not benefit. Neither the Insular Union of Industrial Workers and Electrical Construction

---

1. Reference to Jones Act of 1917, which collectively naturalized Puerto Ricans as US citizens.

(known by its Spanish acronym, UITICE), nor the Electrical Industry and Irrigation Workers Union (known by its Spanish acronym, UTIER), nor the Puerto Rico Electric Power Authority employees, nor the bondholders owed millions, have any chance of making a few bucks on the side with this. Arguing that subscribers (victims) are going to benefit from this contract in the long run is like saying that the good thing about María is that it has given us the opportunity to renovate all that infrastructure deteriorated by the negligence of previous administrations. A. Conan Doyle, through his character Sherlock Holmes, argued: "When you have eliminated the impossible, whatever remains, however improbable, must be the truth."

Note 6. He who crouches down can't complain when he's steamrolled. To challenge the authority of the Fiscal Board is to challenge the authority of the US Congress. And in case no one remembers: Congress is the sole proprietor of our island. It was through its will, and not ours, that citizenship was imposed and permission granted to elect our own government and administer our assets, as long as we do so in accordance with the "American Way of Life."

Insisting that the UITICE or the UTIER, which have been publicly vilified by all the colonial governments, should be the ones to rebel against the authority of the Fiscal Board and its agent (or foreseer), is like trying to make a silk purse out of a sow's ear. For over a decade, the directors of said unions have been warning about the extremely deteriorated conditions of the system due to the constant mismanagement of funds by PREPA, not to mention corruption.

Now, the PNP[2] administration claims to have more power than the Fiscal Board, basing their argument on a constitution that they themselves have declared invalid for years. But the basic question is: what are they trying to defend? The ELA's autonomy? Or the current corrupt politicians? It's pretty obvious it's not Puerto Ricans whom they're trying to defend.

---

2. *Partido Nuevo Progresista,* or New Progressive Party, the pro-statehood political party.

Note 7. By pushing to do more, they end up doing less. If there ever was the intention to impress North American politicians (and local proponents of assimilation) with a capable government, integrity, and transparency, a government committed to the wellbeing and development of our nation, then they have achieved the opposite. The inane attacks against opposition leaders, together with official statistic reports published daily by *El Nuevo Día*, a poor newspaper, confirms what has been obvious to many: the government is incapable of governing. The Fiscal Board, through its unilateral imposition on PREPA's management and its cunning defense of the ELA's autonomy, has clearly revealed the institutional immorality of our governments, past and present.

Wanting to erode the image of Carmen Yulín, they've only managed to elevate San Juan's Mayor—who up until now was virtually unknown in the United States—to a heroic figure, walking in the dark with the water up to her neck, leading the rescue efforts in impacted communities. And trying to seem more expeditious than Expeditus himself, through the rotten Whitefish contract, they've only reinforced the notion held by many US politicians, that crime and corruption are endemic to Puerto Rico's character: "That's the culture!"

How deeply saddened I am by this!

Note 8. I don't know if it's longing for my beloved island, but here, from this distance, I feel like salt doesn't season; sugar doesn't sweeten; and, water does not quench thirst. Not to mention the coffee. This morning, on WAPA *América*, I came across an explanation for the Halloween curfew. The policeman they were interviewing credited the governor for the instructions. The curfew will take place between 10 p.m. and 5 a.m. as long as the public establishment (let's say, the local bar) is not broadcasting the World Series, or as long as the groups wandering around are families (preferably with kids), in which case the curfew does not apply. In other words, it's like imposing a "semi" prohibition. It applies some times but not others, depending on how the officer on duty feels. Honestly, Cantinflas[3] couldn't have done it better.

---

3. Mexican comic film actor, akin to Charlie Chaplin.

Note 9. Gone with the wind... We know María took with her our drinking water, our electricity, and whatever shame our governing class had. There's no need to go looking for them. In the end, later rather than sooner, the electric energy will come back and bring with it water. The shame of the political class, if they ever had any, won't return. What are indeed worth looking for are the absent voices from the PIP[4] and the PPD.[5] Might it be that the colonial reality has gotten stuck in their throats? Or might it be that their leadership proposals and commitments to aid in the country's development were all theoretical? Was it all just racket and fuss for the local bar? And lastly, whatever happened to Lynn Ponder, the social media director at Whitefish? Also gone with the wind?

Note 10. "The Authorities and the Corps of Engineers must reestablish service to 30% of consumers by October 30th; 50% by November 15th; 80% by December 1st; and 95% by December 15th. We're talking about served clients not power generation, so that people can have clearly established numbers," said the governor, documented as well in a press release made public by the Fortaleza.[6]

Now, however, both the AEE[7] and the governor refer to percentages of generation. Ramos justified the mechanism, indicating that, at the moment, he does not have enough generation to be able to accurately measure the change for AEE subscribers. "It's over 95% currently—that's the most exact measurement, because our distribution system, including the sub-transmission system, is being rebuilt in a way that's not the same as they were before," said Ramos. "At this time, it would be completely uncertain," he added, about the conversion to AEE subscribers.

---

4. From *Partido Independentista Puertorriqueño* or Puerto Rico Independence Party.

5. From *Partido Popular Democrático* or Popular Democratic Party.

6. Puerto Rico's governor's mansion.

7. AEE: *Autoridad de Energía Eléctrica*, Puerto Rican Power Authority (also known as PREPA).

I swear to God; I'm not making this up. These are quotes from *El Nuevo Día* (11/02/2017). Or might it be The Three Stooges?

Note 11. The longer I'm over here, abroad, the more intrigued I am by the contrasts between my native land and the great metropolis. I don't mean the obvious, like the monumental buildings, the immense population, and the ruckus on the street. Nor, of course, the cold that bites more and more each day. I mean the little things, like the promptness of the bus, the water pressure, and the absolute confidence one has in the fact that things work.

What now? What do we do?

LIBERATION LESSONS IN LIGHT

Yasmín Hernández

Out on our *terraza*[1] we waited for the New Year, always welcomed in Moca to an *alboroto*[2] of fireworks. We sat in darkness, sleepy boys mesmerized by a solar lantern. The fireworks began unlike any others I had seen since rematriating from Brooklyn to Borikén four years ago. Each explosion in *el valle* and in the hills of *Jaicoa* was a testimony in light: another family still here, another family that weathered the storm, another family that hasn't left, another family manifesting light through darkness. Collectively, we said goodbye to a dark year in the seeming unending chapter of colonialism.

Instead of cross-*valle* smoke signals, we communicated in light. Light like *luciérnagas* or *cucuyos*[3] that dotted the sky as spheres glowing green when I moved around outside, phone up in the air looking for a signal to call my mom cross-*charco*.[4] But the land was never dark. We had just gone blind from light pollution, an over-abundance of lamps installed across this colony of islands. Satellite images revealed us lit like a colonial Christmas tree fantasy. Lit well beyond our sister islands of the Antilles. Lit to convince us that US colonialism had us shining beyond the rest. The hurricane erased that fantasy.

Post-María darkness, compounded by colonialism, brought many lessons, like learning that I average thirty articles of clothing in one hand washing with collected rainwater. Lessons like, if I tried to sit before a canvas to paint afterwards my hands tremble, my forearms would shake from carrying buckets of water and from hand scrubbing and wringing jeans, towels and sheets. I learned that the hands of our ancestors were forces of nature.

---

1. Terrace.
2. Ruckus.
3. Fireflies, lightning bugs.
4. Puddle, small pond.

After almost five months of darkness, we had to relearn to use electricity. We would find the boys playing in pre-dawn darkness, their Lego houses lit with solar lanterns. The bedroom light shined too bright so I entered each night with a *linterna*[5] in hand. A month passed before we stopped using the upstairs bathroom with the battery-operated light switch. We kept forgetting that the real switch right next to it actually turned the light on. Darkness teaches things we forgot; things our ancestors knew. It reveals the resourcefulness and inventiveness that awakens a dormant confidence. It reveals Venus, Mars, Jupiter, and Saturn all twinkling visibly to the naked eye, bearing witness to the earth we change drastically. It teaches how to manifest and radiate light, communicate with it like that New Year's Eve.

Having accepted the invitation to exhibit from the artist / poet / ex-political prisoner Elizam Escobar, I arrived in Old San Juan to present my painting *Hermandad Bioluminiscente*. In this portrait of our beloved poet Julia de Burgos and her sister Consuelo, I painted them illuminated with the blue light that I saw in Bieké's famous bioluminescent bay.

I seldom make the two-hour-plus drive from Moca to San Juan wanting to leave behind those long trips to work I did every day in New York. Its waters do not shine, but Viejo San Juan reveals itself more as an energetic door. The fortress pulsing with ancestral vibrations both heavy and fueling where generations-worth of inherited trauma is birthed at the foot of tumultuous seas that separates us from another conqueror.

Karmic sisters Irma and María arrived, mythological in proportion, spinning allegories and tragedies in every corner of this still-conquered Caribbean. At *la Casa de los Contrafuertes,* I head upstairs to the exhibition *Haiti Aquí*, thinking of Betances, *el Antillano*, who loved this sisterland. I enter to the flickering lights of vodou flags, bouncing off colorful sequins, grasping at rays of sun seeping through arches of colonial windows. I am drawn to a photo of a brown face peeking through a most gentle, sea of soothing blue, beautiful Yemaya[6] tribute. I step closer only to uncover that the blue is *un toldo azul*: a blue tarp used to waterproof tents set up as temporary residences post-earthquake.

---

5. Lantern.
6. Yemaya is the Yorùbá goddess of the ocean.

Blue tarps still dot our landscapes on rooftops. Refusing to register this 4,695 number of deaths until I researched the death tolls of the earthquake in Haiti, the gallery gave it visual form. Climate disaster death tolls dwarf those of September 11, 2001. New Yorkers, myself included, would never think to diminish, downplay, the losses of that day in the World Trade Center. Yet the United States overlooks immense numbers of bodies of color / lives lost to tsunamis, volcanoes, earthquakes, and hurricanes. Like hurricanes, death does not discriminate. We cannot place more emphasis/value on some lives over others. Climate change and colonialism affect us all.

Stepping into the courtyard space, my *abuelo's* spirit dancing in my head leading me from plant to plant, in full post-María harvest: *poleo*[7], *albahaca*[8], *tabaco, oregano brujo*[9], *noni*[10], *tártago*[11], *maíz, lavanda*[12], *recao*[13], *parcha*[14], and *menta*[15]. Each one spills healing secrets and magic into the atmosphere. Elizam Escobar is also in the space, and we speak of liberation as practice and praxis and not just theory. He speaks of Taíno *behiques*[16] and how artists are shamans. I see our freedom fighters as shape shifting shamans. How else did they survive decades of incarceration, withstand torture, sensory deprivation? How are their hearts not hardened? How do they still receive us with love? How did they not only survive, but also still thrive?

To justify the conquest and enslavement of our people, the conquerors had to harness fear, a fear of all we represent, and the magic we come from, magic like having various glowing water bays. They feared it and taught us to fear it too. Perpetual colonial systems rely on imposed fear.

Hurricanes are certainly fear inducing. My body endured thirty hours of stomach-turning fear through the slow path of

---

7. Southern fogfruit.
8. Basil.
9. Spanish thyme.
10. Noni
11. Castor-oil plant used for spiritual baths.
12. Lavender.
13. Wide-leaf cilantro.
14. Passion fruit.
15. Mint.
16. Shamans.

the brutal, relentless force that was María. Everything about it screamed something sinister. Los *religiosos*[17] said it was a punishment. Others said it was earthly vengeance for a long history of human abuses and disregard. To our ancestors, it was awe inducing, a thing of Gods, from the Yoruba revolutionary orisha Oya, to the fierce Taíno cemí Guabancex. Natural forces offer lessons on how to live in harmony with the earth. Though many of us believe ourselves to be powerless, the shamanic messengers of these lands teach that we are already free.

We are trained at the schools of our oppression; work jobs that replicate oppressive/exploitive systems. Under a constant state of threat, we build defense strategies, enforcing structures that are rooted in the acquisition of false power over our peers and so-called loved ones, whom we craft into subordinates. Too many of us replicate these dynamics in so-called movement spaces where we call people to join, then subject them to shaming, condescension, or exploitive work that leaves them feeling more betrayed, violated, and unsafe. As we fail at moving the so-called masses, they flock to churches, doctrines, and dogmas that give them something to believe, teach them to question nothing, accept all and await their recompense in heaven.

But heaven resides in the lands of my ancestors where I was instructed to go to the bioluminescent bay in Vieques[18] on a new moon, observe how the horizon fades into blackness, and the waters and cosmos merge as one. Stars/ dinoflagellates, illuminated in light, become one. We repatriators/ travelers/ diaspora-based/ navigators of islands/ cross-*charco* beings are shape-shifters/ light manifesters who know how to rise like brilliant blue, bioluminescent dinoflagellates on one side and as stars on the other. Stars and seas merge on our ancestral islands. We, all born of salt water and darkness, in gratitude to the mothers, must *dar a luz*/ manifest our own light.

In a recent stay in Guavate, the windows opened to the continuous *selva* of la cordillera. Someone had taken the nighttime cacophony on our Moca hill and turned its volume up to ten. I awoke in the middle of the night, staring into darkness. A green ball of light floating towards me captivated my contact lens-less,

---

17. Religious people.
18. An island–municipality of Puerto Rico east of the mainland.

blurred vision. I thought it was a visiting spirit or some fluttering fairy. It zipped across the ceiling, and then stopped. Stood still. I could perceive an alternating of its lights, head then tail, then back again. It was a *cucubano*, another shaman, native species of click beetle, no ordinary firefly. Its headlights attract mates. Its taillights repel prey. It uses light to communicate.

These lands were never dark with creatures that manifest and radiate their own light, with three magical bioluminescent bays whose fish cut streaks of light across waves. We are called back to darkness so that we remember. The islands ask us to return to radiating liberation love-light from within. We have too long fueled our conquerors with our precious energy, wisdom, our skills, talents, and our bodies. We are being called to hold on to these; radiate what we carry within for the purpose of our collective liberation. We are being asked to view all from this liberated space of inner light invisible to the enemy. Like the *cucubano*, we are called to know which lights to shine, when and for whom.

I am taken to my first visit back to Vieques as an adult. Nestor Guishard loaded us into several kayaks, paddling out into the bioluminescent bay near midnight on a new moon into the horizon less darkness. It was not the first, or last, time that I felt fear and lunged forward anyway knowing that there was distance between my feet and the bottom. Accompanied and wearing a vest, I felt not so much a confidence but an understanding that it was a mandate from my mother Yemaya. Nestor asked us to place our arms around each other's shoulders forming a circle. On his signal, we collectively paddled our feet, manifesting a bright, celestial blue light that rose up from the sea that left me breathless. At that moment, I felt less matter and more of a powerful spirit.

Bioluminescence is "the production and emission of light by a living organism." A Smithsonian website highlights that "because the deep sea is so vast, bioluminescence may be the most common form of communication on the planet!" How do we energetically tap into the language of light—transcendent light ripened by the darkness where ancestral wisdom lies? If we listen, the land, and sea guides us, spins us into greater magicians, light workers, healers, and shamans: liberated.

PART 2.
THE PEOPLE MOBILIZE
AND ORGANIZE

"Great transformations do not begin from above nor with monumental and epic deeds, but with movements small in size and that appear irrelevant to politicians and analysts from above. History is not transformed by packed squares or enraged crowds, but, as Carlos Aguirre Rojas points our, by the organized conscience of groups and collectives that know and recognize one another, below and to the left, and build another politics."

Insurgent Subcommander Marcos
San Cristobal de las Casas,
Chiapas, México

The Zapatistas' Dignified Rage:
Final Public Speeches of Subcommander Marcos
(2018)

MARÍA DIDN'T KNOW WE WERE POOR

José Ernesto Delgado Hernández

María didn't know we were poor,
that we carry on our backs
an unjust debt,
that we've been betrayed
by our brothers and sisters,
the same who've now served our country
to the Wall Street vultures
as carrion…

She was oblivious to the scorpions
living within these sand pockets.
She didn't know that the books
of our boys and girls had been silenced
by the slavers
at the Fortaleza[1] and the Capitolio,[2]
when a swarm of schools
was closed down,
as one shuts the doors to the future.

María was unaware of the false promises
with which we've been governed,
and also of the austerity
to which they've submitted
our mothers and grandmothers,
and of the massive emigration
of labor northbound…

---

1. Name of governor's mansion in Puerto Rico.
2. Puerto Rico's Capitol Building.

therefore, she came through before dawn
so we would not see her shame
in taking down a country made costly
by the white collars
living along a golden mile.[3]

Now, an army of
wooden skeletons,
pissed off from their roots up
by the storm of blockage and colonialism,
have risen up in resistance
against the new invasion.

The water is suspect
of carrying poison.
Food is scarce on our tables
as liberty is in our skies.
Streets have become landfills
for sorrow, trash and inertia.
Meanwhile, a Walt Disney character
visits an area free of pain
in the face of necessity
to throw scorn at us
disguised as humanitarian aid.

What other country might he play
the disaster game with, from his golf course?

2017

---

3. Reference to *"La Milla de Oro"* or the Gold Bullion Mile, also known as The Gold Strip: Puerto Rico's financial district and the largest complex of financial investment institutions in the Antilles.

CULTURAL RESISTANCE
IN THE FACE OF ADVERSITY

Maricruz Rivera Clemente

Every year, government officials and public functionaries speaking from their positions of privilege and power ask the people of Puerto Rico to prepare for hurricane season. How can the poor or those with limited resources prepare for the beating of a hurricane? Purchasing equipment, materials, and provisions to confront natural disasters is not possible for thousands of islanders living in extreme poverty. As in any capitalist society, those with money are able to stockpile the greatest amount of goods, resources, and services, while the less privileged and more impoverished do not have necessary access to secure or protect their homes or the few belongings they may possess. Even if the State activates its "consumer protection" mechanisms, how will the poorest people buy the items and provisions they need to survive the emergency? In addition to little access to basic necessities and provisions, the government did not take into consideration the evacuation of sick people and those with limited mobility until the eleventh hour, when the arrival of the hurricane was imminent. Without proper and up-to-date information on the circumstances and location of bedridden patients, the sick and the elderly, authorities failed to mobilize and provide refuge to the vast majority of these people in our community and in communities around us.

Don Goyito, an 82-year-old resident of the coastal Afro-Boricua community of Tocones in Loíza, is a prime example of the scant attention the local government gave to the elderly. He sought refuge with his wife nearby in his daughter's house during the days of the hurricane. Like thousands of people living in black-populated communities, he faces racism and poverty: two of the most pernicious social conditions, generated, and transmitted in the modern age by the development of capitalism.

Hurricanes Irma and María pulled off the zinc roof of Don Goyito's old residence. The house, built with wooden floors and walls, deteriorates more and more each time it rains. Don Goyito has no property title for this fragile home, a common situation for many residents of poor communities across Puerto Rico. It was in Tocones on February 6, 1980 that the authorities of the judicial system (both police and court) procured an eviction order, which resulted in the police killing of Adolfina Villanueva in front of her family—an event that Don Goyito remembers with great sorrow.

Disputes over land possession have erupted between the black residents of Loíza who have lived in the area for hundreds of years and white developers who "inexplicably" obtain ownership titles of these lands intending to build residential and/or tourist projects, in which the black residents, even while in their place of origin, are assigned a new category of otherness. Nonetheless, Don Goyito's house, old and fragile, remains standing with dignity, amid gigantic and luxurious residential complexes, as evidence of the eternal resistance that black people and people of African descent have used in their defense, both individually and collectively.

The experiences with Hurricanes Hugo on September 18, 1989, Georges on September 21, 1998, Irma on September 6, 2017, and María on September 20, 2017 have demonstrated that these atmospheric phenomena are good at exposing the poverty that exists in Puerto Rico, as well as shedding light on how vulnerable the State has kept a large segment of the population. One must also look at the attention given to recovery efforts, as these tend to be prolonged to a greater or lesser degree depending on the socioeconomic level of the community in question. For example, the Isla Verde touristic-residential area received services more promptly than the Piñones community even though they are very close geographically and served by the same power distribution line. Isla Verde had its power back within days of Hurricane Irma. Yet, Piñones was still without power when María hit several weeks later and remained in the dark for more than two months after.

Hurricanes Irma and María aggravated the poverty in communities with limited resources, although the island's weak economy is part of the cumulative process of colonial conditions, which the people of Puerto Rico have faced for more than 100 years. Neo-liberal policies that are currently governing the world articulate strategies of action that benefit the capital markets, even before the crises occur. The scarcity of food, materials, and medicines, coupled with price hikes on these, as well as loss of homes and jobs–all these conditions dramatically increase the poverty of individuals and families in the communities.

How is it that the all-mighty imperial government of the United States did not have a prompt, coherent, and effective response to supply basic needs to the Puerto Rican people during and after the catastrophe? Puerto Rico's general impoverishment is a gradual and consequential process stemming from the global neoliberal structure. What and how was the response of the powerful US government before, during, and after Hurricane Katrina in New Orleans?

It's clear that "the crisis" provides an opportunity to advance neo-liberal policies that, in the specific case of Puerto Rico, include school closings, hospital shutdowns, dismantling of public services, and cuts in employee benefits, among others. Neoliberal policies that in the case of colonial Puerto Rico are proposed by the Fiscal Control Board—the entity that rules over the people and local government of Puerto Rico with all the imperial power granted to it by the US government.

In the communities, the barrios, the streets and each corner of the Boricua nation, the people expressed generosity and solidarity in the face of adversity. La Corporación Piñones se Integra (COPI), or the Corporation of Piñones United, began to receive donations and supplies in the time of need from individuals, families, groups, and organizations in neighboring towns within hours after Hurricane Irma. When COPI made a call for help, people arrived to organize the distribution of supplies and assist those in greatest need throughout the community. Volunteers immediately identified individuals and families in urgent need: sick people, the bedridden, single mothers with infants and small children, and the elderly. Supplies were delivered door to door, from neighbor to neighbor, using the community's own resources. COPI delivered the first aid—and in some cases—the only aid. After Hurricane María, other organizations and resources started arriving. A lot of help and money collected from the Puerto Rican diaspora in the United States, and delivered to the government, did not make it to those most in need. So the diaspora started identifying organizations such as COPI to distribute provisions directly to the people.

We cannot lose sight of the fact that poverty, violence, and poor schooling are strongly tied to race. Hence the communities where black people live are the most destitute and devoid of resources. In this sense, Puerto Rico's non-whiteness, as conceptualized by the white-supremacist racist ideology in the United States, leads to impoverishment of the Puerto Rican people. This situation is exacerbated by the accelerated migration, used as an escape valve, further weakening the already battered local economy.

Meanwhile, the people of Puerto Rico continue their eternal and unending cultural resistance, which uninterruptedly, since the United States invaded Puerto Rico in 1898, has served as a strong cohesive agent in the Boricua-national identity. In Piñones, in Loíza, and in black communities throughout the island, the strong ancestral traditions have served as weapons of resistance. Food, music and spiritual practices are all cultural manifestations that spring forth from our communities' ancestral knowledge, and lead to spaces of liberation.

September 8, 2018

TO JULIA KELEHER, PUERTO RICO'S SECRETARY OF EDUCATION, WHO WAS ON THE SAME AMERICAN AIRLINES FLIGHT AS I WAS FOUR MONTHS AFTER HURRICANE MARÍA[1]

Ana Portnoy Brimmer

You probably think 188 is not a big number
    you paid 5 times that figure for your Priority Seat
    and receive 1,330 times that total as your annual salary
        and they're only schools; there are more; seven flattened
        towns over
You probably haven't realized how full this plane is
    that a percentage of the more than 25,000 students that
    have left the 188 schools that you closed are
    passengers on this flight
but I'm no statistician   the count is constantly changing
I'm losing my breath and
I don't want to talk about numbers
                not with you
You probably didn't notice the overflowing reservoirs as you
boarded this
    shrieking hippogriff   buckets beneath earthquaking jaws
    fingertips fissured dams cradling pools of briny sorrow
    but you have your complimentary whiskey and water
    bottle
    no need to worry
You probably think the steady rumble growing beneath
you is
    the plane's engine or new massage technology in
    your expensive seat

---

1. The number of schools in the poem (188) combines the number of public schools closed by Julia Keleher and the government pre- and post-Hurricane María. However, the number to be closed post-Hurricane María has increased since January 2018, the current number being 280. Charter school systems are being implemented on the island as well.

it doesn't cross your mind that you're sitting atop the belly
of this American Air-beast   digesting
the crumbs of the hopeless hostages behind you
The plane is trying to take off now
   spitting and coughing up fuel while
   you breathe easy even this monster
   heaves under the human weight on its titanium back
   is a direction you've
never looked to before   that
sea of blue   FEMA tarps
rolling green   military trucks
golden sands   of schools' remains
a paradise of your making
   trimming the bushes the bougainvillea the budgets
you fly willingly   with Priority promise of return
and slingshot numbers
   pout to piña colada
from a roofed-over (lucky you) patio table in your backyard

June 2018

(Published with author's permission.
Originally published in *La Respuesta* March 12, 2018.)

THE TEACHER UPRISING
THE MEDIA IS IGNORING

LABOR NOTES.ORG

Labor Notes (LN) spoke with Mercedes Martínez, president of the Puerto Rican Teachers Federation (FMPR)[1]. Two interviews appear below.

February 2018. Interview by Meghan Brophy.

LN: Can you give some background about what was going on in Puerto Rico before the hurricane?

The seven members from the PROMESA Financial Oversight and Management Board are like seven dictators. The first thing they did when they were appointed was to announce budget cuts. They also approved what they called "labor reform," which involved the firing of many workers, and the elimination of paid sick leave and overtime pay for private sector workers if they work longer than eight hours. Companies fired and rehired the same employees with lesser benefits and basic rights.

We have faced attacks against our education system for many years. They wanted to divert public funds to private schools. We were able to stop the bill at first; but, now we are facing the same attack again. They want to fire thousands of teachers, close hundreds of schools, create a voucher program, and privatize the schools.

What has it been like to live and work in Puerto Rico in the aftermath of Hurricane María?

We are living what Naomi Klein calls disaster capitalism. Many people still don't have electricity or water. Batteries are being stolen out of generators. People are tired and vulnerable— and the ruling class is taking advantage of this disaster to advance a corporate reform agenda. For all the public sector workers in our country, including in education, organizing now

---

1. Federación de Maestros de Puerto Rico

is very hard. The Secretary of Education tried to shut down more schools after the hurricane, but our communities fought back and won. Teachers worked to fix up many of the schools even though the government didn't want to reopen them. We had to protest, together with the communities, requesting that children be able to go back to school. She [Julia Keleher, Puerto Rico's Secretary of Education] shut down fifty schools during the hurricane, and we were able to stop the closing of thirty.

What has been the role of Puerto Rican unions in the hurricane recovery?

There is devastation everywhere, and all the public unions have been working together to fix and restore our country. The electrical union is working very hard to restore power even though the government is neglecting to give them enough equipment. They are also trying to inform the public that privatization is not the answer. Because the privatization attempts are attacks against the whole working class, we can't just give individual responses. We are joining forces—public sector unions, private sector unions, community groups, and more—and meeting on a weekly basis, working together to fight back.

What is happening with the privatization of the electric company? What is the response of unions?

Four hundred thousand households still remain without power. That's 1 million to 1.5 million people. The union is working long hours every day to restore electricity, but they don't have enough people to restore services so fast. We have 1,700 electrical workers from the States who have come here to help—but it's a shame that the United States [government] did not allow workers from Cuba and Venezuela to come and help too.

The union is exposing the lack of equipment and what the government is trying to do. I think they're scared to go on strike right now because of what has happened to the people of our country. It's tough since so many people are still without electricity. They are doing everything in their power to let people know what privatization will look like, and all the rights they will lose.

A slew of education "reform" proposals were just announced. What are teachers, parents, and students doing to keep schools open?

We are preparing for a fight, informing people about the need to go on strike until the government gets rid of that bill. We are having several workshops each day to inform the parents and communities about the stakes. Teachers have gone on strike before against the charters and attempts at privatization. We did what we had to do, and they weren't able to approve the bill. Now we are here again in the same position.

What can union activists elsewhere in the United States do to support our brothers and sisters in Puerto Rico?

US unions have already displayed solidarity. Nurses, doctors, and social workers have come to our schools to help children who have no medical insurance and to tend to people who are at home. The Movement of Rank-and-File Educators caucus from the New York City Teachers Union has been very active. They have sent us a lot of donations. They have been helping explain in the US about what's happening in Puerto Rico—and we have been doing the same by asking how we can help the fight in New York. A lot of people have been sending us letters, calling representatives in the Senate, and starting petitions to spread the word about how the government wants to take advantage of this disaster. We started a GoFundMe campaign since we are a small union with 3,500 members, and we need money to fight back.

We demand that the Financial Oversight and Management Board leave our country, and we want the $72 billion debt to be abolished. I know there are also many attacks on public education in the United States. We need to connect these struggles.

May 4, 2018. Interview update by Jonah Furman.

LN: How are teachers organizing now?

We are going to schools that are facing shutdown to start a boycott against standardized testing in order to pressure the government to keep those schools open. First they said 305 schools were to be closed; then they lowered that to 283; now it's 266. There are 1,100 schools on the whole island. They want to shut down almost a third of the schools.

On April 20, there was a huge rally in front of the Congress from all the schools targeted. Parents and teachers wanted to deliver a resolution, but police blocked the entrances, even though it's a public building. So we did an act of civil disobedience. Finally, the Congress members came out and took the resolution. We went to the governor's mansion too and presented him the teachers' plan. They can't claim we didn't go through the correct channels.

They want to convert ten percent of the schools to charters in August [2018]. They will base those decisions on the standardized testing, which begins on Monday. We are focusing on the shutdown targets to boycott standardized tests. No testing, no scores, no information, no charter.

Schools have started to do occupations. In one school, children haven't gone to school for two weeks; they're demanding to speak to the Department of Education. One school has been occupied for three weeks already. Another school joined in the occupation today, and they're not going to leave until they revoke the decision. Another will join on Monday.

Five schools had a vigil today, May 4, and will vote to occupy their schools beginning Sunday night into Monday. If they don't respond to the occupation, we are organizing trips to the Secretary of Education's office to protest in front of her office. Parents and teachers and community leaders, everybody has joined together, but mainly mothers. Most of all, mothers.

What happened on May Day?

First of all, it was amazing. More than 50,000 people came together at the "Golden Mile" where all the banks and the Oversight Board offices are.

Unions, environmentalists, feminists, teachers, road workers, religious people, and professors marched together against the policies of the Board. Energy workers were chanting against the privatization of their services. Private sector employees were fighting against the labor reforms the Fiscal Board wants to implement. Elderly people were fighting against twenty-five percent cuts to their pensions. Mothers and parents were there to keep the schools open. Environmentalists were protesting new laws that let developers build whatever they want; wherever they want. It was massive. It was a show of force to the government, a show of the feelings of the people.

At the same time, it was brutal. The police brutality was overwhelming. They tried to stop the march at different points. They tear gassed thousands of people. The protestors and the police agreed that if nothing happened for fifteen minutes, they would let them go. Ten minutes passed, and they started tear gassing. They pushed people down, including women and children. They chased our students to their homes and arrested twenty-two of them. It was awful. The police attacked reporters on purpose. It was all premeditated. They thought they were going to get people to back down. Instead, they just made people angrier.

On May 2, a political organization organized a march in the tourist area against the Board and against police brutality, requesting that the head of the police department be laid off. They wanted to show the world, we are not going to back down.

Reprinted with permission.
Originally published by LaborNotes.org, May 14, 2018.

(See video of Martínez' talks from the 2018 Labor Notes Conference at https://facebook.com/labornotes/videos)

A NEW DICTATORSHIP HAS BEEN INSTALLED IN PUERTO RICO

ROBERTO RAMOS-PEREA

May 1st, 2018 – Following orders from Puerto Rico governor Dr. Ricardo Rosselló, today, on International Workers' Day, police used gas and rubber bullets to disperse a demonstration of thousands of indignant people protesting against a new dictatorship that has been installed in Puerto Rico.

It is a dictatorship consisting of impunity, political corruption, and the economic exploitation of the Puerto Rican people. In 2016, the *Partido Nuevo Progresista* (PNP), or "New Progressive Party," came into power once more—the very party that begs Donald Trump to make Puerto Rico the 51st state of the United States.

Past administrations of both major parties, the *Partido Popular Democrático* (PPD), or "Popular Democratic Party," which supports the perpetuation of the colonial status, as well as the annexionist PNP, have increased the country's public debt by much more than $70 billion—an unpayable debt for Puerto Rico.

In order to cover this debt, they've implemented the most abusive budget cuts in our history. They've taken money from public employee pensions and have cut all budgets of all agencies. Funds for education, culture, health, improvements to public infrastructure, were all drained almost entirely in order to be able to offer the United States and the Fiscal Control Board, appointed by Congress, a repayment plan that would reduce the debt and satisfy creditors.

The government of Puerto Rico and the Fiscal Control Board are two claws of the very same beast.

In the middle of this process, we were blindsided by two disastrous hurricanes, which catapulted Puerto Rico into its worst historic misery.

The United States, for its part, sent scant help, which the local government looted for the benefit of its personnel and officials. Eight months after the hurricanes, there are still hundreds of families without power and hundreds of houses covered with tarps in Puerto Rico.

The disaster left more than half a million people without a job and without health security; many emigrated to the United States.

The worst part of the crisis is the fact that amid the cruel health, employment and education needs, the current government put the Puerto Rico Electric Power Authority up for sale, together with an additional twenty public service corporations, which belonged to the people of Puerto Rico. They ordered the closing of more than 300 schools, provoking social chaos among students. The empty schools will to be sold for a dollar to those close to the administration. They are gradually destroying the University of Puerto Rico, ruining its prestige and limiting its capabilities. They've eliminated all cultural budgets, from the root, because Puerto Rican culture is resistant to US assimilation.

They've opened the door to corporate interest negotiations with Christian fundamentalism and have placed in the Senate and Chamber of Representatives the most aggressive defenders of the religious right, violating the most valuable of principles: separation of Church and State. And on top of that, they've replaced secretaries of the Puerto Rican cabinet with US officials, paying them wages of half a million dollars per year.

They intrude in the judiciary, legislate to favor corporations affiliated with power, and decree laws against all progress for workers and unions.

They purchase journalists with the people's money, so that they will insult the citizenry and promote the assassination of our most cherished national values.

None of this is surprising if we know that the same types of dictatorships have come into power all over the world. Puerto Rico is a much smaller country than many of these, geographically, which is why controlling the resistance is focused on the rapid annihilation of the people.

It's time for the world to know what is happening here. The United States has assumed no responsibility for its military invasion and bombing our beaches in 1898.

The United States has no interest in annexing us as a state of their union. They have said so thousands of times. Their only interest is to depopulate the island so it can be sold piece by piece to the tourism and business interests of the giant US corporations, among them, Monsanto.

Puerto Rico is one of the last colonies in the Americas, if not the last one. We have no capacity to stop the chaos. We need international support. We need statements from the highest international forums and from the governments that have represented democracy with dignity in the world. We must make this genocide known or this will end very badly, not only for us, but also for the necessary balance of power in the world.

May 2018

LISTENING, THE NECESSARY POLITICS: HOW A SOCIAL CAFETERIA CAME INTO EXISTENCE IN YABUCOA

ISMAEL "KIQUE" CUBERO GARCÍA

LISTENING TO SILENT HUNGERS

Listening to the growling stomachs of the people and their hunger after Hurricane María, on the eighth day, we at the Centro de Desarrollo Político, Educativo y Cultural (CDPEC)[1] together with Urbe Apie[2] put together a community cafeteria, which we called Centro de Apoyo Mutuo (CAM).[3] The very first day that we began in solidarity and proposing a new way of relating to one another with regard to food, the CAM received people who had not eaten in three days. Some had not said so. They had tried to silence their hunger in vain. To this hunger, add others: poor health, lack of peace of mind and affection, unsafe roofs, absence of purpose, and no solidarity, a starvation for human relations based on mutual respect not on money or eagerness to profit, silent hungers, hungers that belonged to all of us and to every single day, hungers that predated María.

Many hungers brought Carmen to the CAM. She had been wandering around town looking for food after days of subsisting on Export Soda crackers. Carmen saw the line outside the CAM and asked people what it was for. They told her we served lunch in exchange, if she could, for hours of work, supplies, or cash donations. We call these three forms of exchange a "three contributions system," and it has been in use for four years by the Comedores Sociales de Puerto Rico,[4] a CDPEC project.

Carmen ate and chose to contribute her time. From then on, we gave her the nickname "Carmen Café," or "Coffee Carmen," because she was in charge of making the morning coffee for the

---

1. Center for Political, Educational and Cultural Development.
2. Nonprofit organization dedicated to cultural projects for community socioeconomic development.
3. Mutual Support Center.
4. Social Cafeterias of Puerto Rico.

nearly 150 people who ate breakfast in our CAM community cafeteria every day.

On October 11, day 13 of year 0, we at the CDPEC decided to try a new policy at the CAM. Inspired by the readings conducted by workers at the tobacco factories during their workday in the early twentieth century, we hosted a NotiCAM ("NewsCAM") with the volunteers. The NotiCAM consisted of reading a piece of selected news from the written press as we prepared lunch. Emilú Berríos read an article from the newspaper *El Vocero* titled, "María Leaves a Wake of Hunger in Yabucoa." It stated, "Three weeks since María, the residents of this municipality—the first one to be impacted by this powerful hurricane—are still having trouble getting the basics: water and food."

Upon hearing these words, Carmen Café stopped working; and, she went to the back to cry. Carmen Café is from Yabucoa and was heartbroken to hear that the hurricane had destroyed her hometown. But she was even more saddened knowing there was no CAM-like initiative in Yabucoa, and she asked us to create one there. She challenged us to develop the necessary policies. And we listened.

WE ACT...

Two days later, Carmen Café and I were on our way to Yabucoa to contact people who might be interested and to locate places with enough capacity to cook for a minimum of 200 people per day. In Yabucoa, Ralph's is a wholesale and retail supermarket that supplies a large portion of the small businesses, the people of Yabucoa, and residents of the town of Maunabo. Maricarmen Rivera Sánchez, a journalist for *El Vocero*, reported that there was a long line to get into Ralph's so we decided to go there to talk to people.

Ralph's was packed. Carmen Café introduced herself to two older ladies telling them she was a volunteer for the CAM in Caguas. She also told them that she was originally from the Calabaza district in Yabucoa, daughter of Lola, who was at one point the cook at the José Facundo Cintrón School. She asked them how things were going with regard to food. The ladies told us that they had run out of everything at home and that the supermarket had decided not to open. On top of that, the owners at Ralph's had marked up everything exorbitantly, for example, charging $10 for a can of salmon and $7 for corn oil.

Carmen Café proceeded to explain our intention to set up a community cafeteria with the three contributions system and explained how it worked. A gentleman eavesdropping behind the two ladies exclaimed, "Ah, yeah! Like it used to be done," validating in one fell swoop the CDPEC policy: organizing with those at the bottom, the oppressed, around shared basic needs (sustenance, health, housing, education, culture, transportation and affection), to find collective solutions to seemingly in-dividual problems. One of the ladies advised us to go to the local radio station, Victoria 840, and request airtime to announce our intention. And so we went.

At Victoria 840, I told the story of Carmen Café and how her challenge compelled us to arrive, intending to set up a community cafeteria with support from the CAM in Caguas. CAM was supplying cooking equipment; food to feed at least 200 people for two days, in other words, 400 meals total; and four people from the CAM: the introverted cook William, the energetic Carmen Café, the tireless young Vladimir, and your patient organizer, Kique, who writes this tale.

When Linda, the radio host, asked if we were expecting to receive help from the municipality; and, if we had approached them, our reply was a categorical no. "We are not going to wait for the municipality, the government, FEMA, or the feds; we are not waiting for anybody; with or without the government, we're doing this because the circumstances make it necessary and because many people, deep down, want it." The phrase "with or without the government, we're doing this; we're not waiting for anybody," caused Jannette, a working mother from the Rincón sector of the Camino Nuevo district, who was driving her little Honda, to turn around and hurry to the Victoria 840 station to offer help to open the community cafeteria. It was she who took us to the district through which the eye of María entered with all its fury leaving behind it destruction and sorrow. It was she who introduced us to brave Marti and honest Lelis, two women who've been with us from day one with their inner strength. She took us to sites in Camino Nuevo so that we could initiate a social cafeteria as an expression of solidarity.

...AND THEN WE SPEAK

To speak was to do. On Wednesday, October 25, day 27 of year 0, at 11:30 a.m., the Community Cafeteria in Camino Nuevo served the first plate of warm food: rice with chicken and red beans. Since then, with love and solidarity, it's been serving Monday through Friday, 100 plates, 45 of them home delivered to people whose physical or mental condition do not allow them to make it to the cafeteria located at the Alvin Telles Meléndez baseball field/ football park.

But it wasn't always like that. There were two hard and intense days in which we produced 398 plates on two little single-house gas stoves with four burners each. This massive operation was carried out to feed not only the existing site, but also the mountainous sector of Guano (211 meals), the sector of Hoyo Vicioso (45) and the coastal sector of El Negro (66), all districts belonging to Camino Nuevo. These are people forgotten by the political parties that only stop by to these areas every four years; people also forgotten by businesses and banks that only look for them on Black Fridays or to collect bills.

Every day and night we tried out different ways of organizing ourselves; we didn't know the results beforehand, and we didn't worry about not knowing. The hungry bellies urged us to act, even if we erred. But the margin of error is very small; it involves being assertive. Being assertive requires giving full attention to the present moment and its constant changes. And correcting as we go: we invent or we err, as the teacher Simón Rodríguez taught us.

We posed questions more than answers, without fear of erring. Some were guiding questions for political action: What to do collectively with what was there, with what showed up? How to manage what had to be done collectively instead of managing collectively that which was needed as individuals? These were questions that guided us in the following political efforts in Yabucoa:

-analyzing situations and political scenarios with people when looking for a place to cook in a grassroots way without intervention from the State or from private businesses;

-including volunteers in the decision-making processes and in the organization of work duties, as well as in the creation, on the third day, of delicious menus with the necessary nutrients using the donations received from people on the first few days;

-announcing the launch of the cafeteria through Radio Móvil, a political communications experiment in amplifying a message, announcement, or promo through megaphones atop a car;

-moderating collective meetings or enacting political action without excluding the spiritual from the political as when we started comparing with diners what we were offering vs. what FEMA was giving out. The starting point for comparing and criticizing the response of the empire was a Christian saying: "Truth is the daughter of God."

Much of the political work threw us into an ideological void without knowing, but trusting in the transformative abilities of the human spirit.

As an organizer, the most challenging political practice has been forcing myself to listen and not impose a policy or an ideology, to let go of controlling the situation and allow space for the birth of leadership emerging from those at the bottom. The leadership that emerges from the people is always grounded in dignity and, when developed and strengthened, is forceful.

I supported the work of Marti, coordinator of the Community Cafeteria of Camino Nuevo and former electoral official for the PNP (*Partido Nuevo Progresista de Puerto Rico,* or New Progressive Party in English). In many ways, I had to be at her side literally in her errands and efforts to coordinate different aspects of the social cafeteria (kitchen, distribution, runners, purchases, closing). One of the most difficult moments was when FEMA and the invading army, together with the colonial housing department, arrived intending to use the park to distribute food and supplies.

With all the rage in the world inside me, I did not impose myself, but rather let Marti negotiate with FEMA and the "USAmericano" invading army with regards to the use of the park. To me, having Marti learn to look at the oppressor in a "decolonized" way was more important than whatever I thought of the invaders, so I only advised her that the negotiation had to be conducted between equals, that no matter whom we were speaking to, we must always feel worthy and act with dignity, because we at the Community Cafeteria of Camino Nuevo cooked and served dignity, and dignity was our principle.

Marti had the task of defending access for our runners to come and go from the park delivering food: Ester and Zory for El Guano, Jennifer for El Hoyo Vicioso, Noelia for El Negro. And in her defense of the park, she realized we had occupied and built a new political space, even if we had not thought about it in those terms until then. And Marti, a pro-statehood PNP militant, went face to face with the army men and their long guns at the park's entrance and was able to secure access for our cars. Later that day, Marti told me the political and decolonizing lesson she learned: "the fact that we're going through a time of need is no excuse for them to humiliate us."

Days before the FEMA and the "USAmericano" Army invasion of the park, Marti had ordered me to block a military convoy with the CDPEC Chevrolet in the middle of the road. So we did, and they were forced to give us water for the Community Cafeteria of Camino Nuevo, and water for Marti. At that time, I knew Marti was starting to feel empowered, that the creation of the Community Cafeteria of Camino Nuevo had begun a political process with decolonizing potential. What will be the outcome of this process? It's hard to say, but it was started and that's a step forward in our long war against colonial capitalism and all its mechanisms, especially the State. To speak our politics required us to take action because we heard what the people needed.

WHAT IS OUR POLITICAL STANCE?

"Listening is one of the most philosophical verbs out there," a fellow student of philosophy studies once told me. After twenty-one years of political activity, I can say it's also one of the most political yet least exercised verbs.

To be quiet and listen before expressing one's ideology is today a new way of practicing politics. It's new not because it hasn't been done before, but because it is necessary in the political context of this first year of austerity with the country under the boot of the Yunta's[5] Fiscal Control and its colonial

---

5. "From "Yunta" meaning yoke instead of "Junta" meaning "Board."

puppet government, red or blue.[6] This year marked by the material and psychological effects of a devastating hurricane serves the Junta and its colonial government, permitting them to impose policies harmful to the people. And we still have a decade (or even more) of austerity ahead.

In the current political scenario riddled with massive exodus of our population; State abandonment of its colonial citizenry left to the mercy of the Market's cruelty; moral bankruptcy of the traditional political parties and their efforts not to be left out of the distribution of the spoils; the petty politics of organizations opposed to the dictatorial regime to survive their small collectives and sects, in this current situation, saying and repeating political creed and organizing around it to then, perhaps, hear what you want to hear, is a political mistake.

Today we must listen to the pain and rage of our people, be attentive to those glimpses of dignity, and generate the political processes so that the experience acquired by our people during so many years of exploitation, repression, and suffering, can heal and be ready to create better life conditions, a new society, a country at last.

With humility, we at the CDPEC have decided to change political practices, distancing ourselves from a mere politic of opposition seeking to negotiate with the State some sort of political space or recognition; we have decided to listen to the grassroots lessons of the people at the bottom and generate political processes from the knowledge and experiences of that very grassroots endeavor at the bottom, transforming in the process. We do not fear erring, because there is no problem in erring. Doing, thinking, imagining new political practices, making, errors and listening to the lessons learned from mistakes—that's necessary. Erring is not an error. In politics, it's okay to err. What's not okay is insisting on erred politics.

December 3, 2017

---

6. Colors of the main political parties in Puerto Rico; the New Progressive Party uses blue; the Popular Democratic Party uses red.

BLOSSOMING INTO FREEDOM:
AUTOETHNOGRAPHY

RAQUELA DELGADO VALENTÍN

I was born in a colony, and this has had an impact, without a doubt, on my transgressive formation. It's impossible to keep quiet or frozen in the face of injustice. Inaction positions you on the side of the oppressor. Pedro Albizu Campos[1] used to say, "When tyranny is law, revolution is order;" and, in this colony, the revolutionary struggle has been a constant truth.

The month of September has significance in Boriken's[2] history. The *Grito de Lares* took place on September 23, 1868. It's an event of great importance for our collective self-esteem, above all, because it reaffirms the fact that wherever there is oppression, there is resistance and struggle. On another September 23, this one in 1990, Filiberto Ojeda Ríos outsmarted the FBI (Federal Bureau of Investigation), leaving behind his ankle bracelet on the steps of the *Claridad* newspaper and becoming a clandestine fugitive in order to reorganize the armed movement for national liberation. Every September 23 for the next fifteen years, Filiberto sent a message of encouragement and unity in commemoration with the *Grito de Lares*. His last words were heard in the Revolution Square [Plaza de la Revolución in Lares] on September 23, 2005. As FBI assassins sieged Filiberto's home, hundreds of us were listening to him at the square and cheering along with him, "Long live independentist unity! Long may it live! Long live a free Puerto Rico! Long may it live! Always towards victory!" This memory still causes me pain. And it hurts because living in a colony that is reviled by the Yankee Empire creates many inequalities, aggressions, and injustices.

---

1. President of the Nationalist Party of Puerto Rico from 1930 until his death in 1965; the Party's goal was to gain independence from US colonialism. Many members were imprisoned for their beliefs and activities, including Albizu Campos for twenty-six years. While in prison, he was subjected to radiation experiments, which were later confirmed by the US Department of Energy in 1994.
2. Borikén: Taino name for Puerto Rico.

Our colony is called Puerto Rico, or "Rich Port." The name originated with the Spanish conquest referring to the riches they found, then robbing the natives of our land and sexually assaulting our ancestor women. Our geographic location is privileged, serving as a Caribbean link between Central, South, and North America. It also places us in the path of hurricanes, September being one of the most active months.

Reflecting on my experience with hurricanes, I realized how disconnected I was from the preparation process. My mother had assumed the responsibilities, and my brother and I would look forward to not attending school and having a September vacation. Hurricanes Hugo, Hortense, and Georges are memories from my teenage years; I do not remember feeling fear in those times. With lady hurricane María, the opposite was true. I assumed the responsibilities for all preparations in addition to providing refuge for friends because of their housing realities. Having them with me, calmed down some of my anxiety and fear.

In Puerto Rico, we hadn't seen a category five hurricane in almost a century. I had no idea what to expect; I didn't know the storm's magnitude. Early the morning of September 20, I received a message from my *compita*[3] from the town of Carolina (where she lives). "Mom, I'm super scared. We haven't slept at all. Ok. Our living room is flooded, and the kitchen door opened by itself and won't close because the wind is stronger than the lock. This is too strong. I'm scared." I tried to call her several times but to no avail—there was no signal anymore. After many attempts, I closed my eyes and fell half asleep until my youngest *compita* screamed, "Mom, we're flooding!" And it was true. Water was coming in through holes I didn't know existed. We were bailing out water for over twelve seemingly interminable hours. The rain finally stopped, and the night silence was otherworldly... no *coquis*,[4] no crickets, no owls, no sound at all. The next day we saw the ferocious damage inflicted by the lady hurricane. Floods, landslides, flattened structures, impassable roads, fallen trees... very few trees survived.

---

3. *compita*: affectionate word I use to refer to my children.
4. Plural of *coqui*, /koh-'kee/, a tiny tree frog with a distinctive night song, native to Puerto Rico.

Desperation was taking hold; there was no communication with anyone, and I had no news of my family. We had no choice but to resort to grassroots self-managed endeavors. For days, neighbors gathered with machetes, saws, rakes, and coffee, and we would spend hours clearing paths. It took four days to open a path out of the Río Cañas district of Mayagüez; we went down barely traveled nooks; and, amid landslides and fallen trees, we managed to get off the mountain. Finally that Sunday, we packed a bag and moved from Mayagüez to Carolina to try to contact the family. Our mission was to make it before the curfew—a code imposed by the colonial government to limit the movement of people. On our way, we saw a desolate panorama on the north and a similar picture on the south (fallen trees, landslides, floods, blocked pathways). Lady hurricane had completely destroyed the most vulnerable structures.

The grassroots pattern repeated everywhere: residents clearing paths, sharing food, supporting each other. And, from the colonial government, crickets—complete silence and inaction. When the colonizer arrived, he threw in our faces the miniscule value that our lives have for the empire. This man, on his two-hour media tour, washed his hands with paper towels and threw what was left at us, an act of complete insensitivity and contempt for our lives. Nothing else can be expected of those who have kept us under a colonial yoke for over 120 years.

We are aware that lady Hurricane María only exposed the realities of the inequality we live. The government collapsed long ago, and the Yankee Empire does not care about us. That's why a lot of friends who had been working on different fronts started to reorganize themselves into mutual support centers, social cafeterias, solidarity brigades, other groups and collective empowerment initiatives. As Blanca Canales Torresola[5] said very well, "We have to continue the fight, even if it takes us a hundred years."

---

5. Nationalist Party leader and one of the organizers of the 1950 armed uprising against US colonialism. Nationalists staged actions in several towns across Puerto Rico; Canales led a group in the town of Jayuya. Imprisoned for seventeen years, she continued to advocate for Puerto Rico's independence until her death in 1996.

On the island's west side, we organized into the Brigade of Solidarity of the West (in Spanish, la "Brigada Solidaria de Oeste", known by its acronym: BSO); and, from there, we started functioning as a base, supporting the clearing of roads and debris, and delivering supplies to the most affected communities. BSO is a self-managed grassroots initiative led by colleagues from different organizations, creative spaces, and social fights. The main goal is to support the development of collective processes in the communities and to promote self-managed grassroots efforts. This initiative sprang forth specifically after lady Hurricane María. BSO visited communities, assessed necessities, and channeled support from the solidarity of people in Puerto Rico, the Puerto Rican diaspora (in the United States, Europe, and Latin America), and other countries. We reaffirm the notion that grassroots self-management is the solution to tackle the inequality promoted by the State.

We continue to do grassroots work towards the development of popular power emanating from the radical quality of communities. We have been building solidarity with other collectives because we know that we have the necessary resources to rebuild Puerto Rico from a place of social justice, equity, and decolonization. In order to accomplish this, we must work from the base, from those at the bottom. Without a doubt, the hurricane shook us. However, some of us see that we're living a chance to blossom into freedom.

April 2018

Credit: La Brigada De Todxs, 2017

THE BRIGADA DE TODXS

María del Mar Rosa-Rodríguez

The days after the hurricane, the darkness on the streets reflected what was consuming us inside. The fallen trees and destruction of our landscape seemed like a metaphor. The tedium of standing in lines, and the heat could not compare to the profound feeling of sorrow. The pain for the destroyed property fell short of the rage we felt for the mediocrity of our governments and for the many deaths that hit too close to home. Our crisis did not start with the hurricanes; it started in 1898. Hurricanes Irma and María were the last punches in an awful round of a colonial match that has been unfair and unequal, a match of suffocating austerity measures and an illegal debt that the referees do not want to audit.

The weeks after the hurricane were full of despair, frustration, cold and hunger for many, for others, heat and boredom. For my family, those weeks were tough because our 4-year-old son had a 105-degree fever, and the first three hospitals we went to could not take care of him because they did not have electricity for the machines he needed. The fourth hospital admitted him with a warning that their generator had diesel for just four days; they had no idea how to get more. At a certain point, I had to say goodbye and leave my son and husband because at home I had a baby who was still nursing, and I had no more gas in the car to travel back and forth. I left part of myself in that hospital and heard nothing about my son for several days since there wasn't any cell service, or gasoline to travel. On September 29 at 3 p.m., my husband arrived home with my healthy son. We celebrated and cried because luck (so scarce those days) had been on our side.

Sitting on the balcony, we heard the slogan, "*Puerto Rico se levanta*" repeated again and again on the radio. We felt impotence and despair. Desperation because the slogan they repeated did not reflect what we saw in the streets. We felt powerless with the constant "waiting" for what felt like the end of the world. We decided we had to do something without asking for permission. Puerto Ricans know that it is better to ask for forgiveness than to ask for permission. In the face of disaster capitalism, the ineptness of FEMA with its food boxes of Cheetos and Trident gum, and the monumental disorganization of our government, we decided to do something; whatever it was.

This is how Brigada de Todxs began, one of many mutual aid grassroots groups that helped islanders, thanks to the solidarity of people inside and outside the country. There is not enough space to tell all the stories about these efforts. I will limit myself to recounting our group's experience because the stories of the residents of Utuado, Canóvanas, Ciales, Orocovis, Comerío, Arecibo, and Aguas Buenas are theirs to tell.

OCTOBER 2017: We were eager and empowered, and we decided to tackle a concrete problem: water and the increase of leptospirosis cases. We decided to write our relatives living abroad to send us some special water filters (recommended by a friend who worked at the CDC, the Center for Disease Control and Prevention, costing about $80). We planned to take the filters to water springs around the area and give them to people. We expected to get ten filters; but, in less than two weeks, we received boxes, some with three filters, others with seventy. With a simple Facebook post, friends, family, friends of friends, past work places in Atlanta, Chicago, Indiana and Pittsburgh sent filters, always including notes of love, solidarity and encouragement, letting us know, we were not alone. We learned that immobilization was only a perception; people wanted to do something. It was not difficult to take responsibility, and we started to organize ourselves.

Tuesday October 10, 2017: We saw an SOS post on Facebook by Gisela, a young woman from Utuado, asking for help because her community was incommunicado due to mudslides and fallen bridges. The authorities were informed, but they had not arrived there. We contacted her and decided that the first brigade would go to Utuado to clear roads, and deliver water filters and supplies.

On Saturday October 14, 2017, the first sixteen friends of the Brigada de Todxs arrived in Utuado. Military forces occupied the town; their trucks were surprisingly clean in spite of mud everywhere. Police and military officers remained on one side of a fence; their pepper spray and police clubs made us uncomfortable.

Gisela and her brother had been given the task of collecting data about the different communities in Utuado and their needs. We decided to begin in the community of Altos de Arenas. It was 7 a.m., and we were ready to go when a military officer stopped us and said that two representatives had to speak with the sergeant on duty to get authorization. Two of the men in our group stepped forward, but I took one by the arm and said, "It's better if women handle this." My husband smiled at my act of feminism, but I could see that he was worried. Gisela and I went to speak with the sergeant who told us that they had gone to all the communities in Utuado, that we should leave the supplies with them, and they would distribute them. Taking a deep breath, I said: "We need to get these supplies to Altos de Arena today. We do not ask for your permission, and we will not leave anything in this warehouse. There are many routes to get to where we want to go, and we know this land better than you. Deep down, you know that you should let us through." This tall white man looked at me with a mix of anger and agreement. Anger at my outspokenness, but agreeing, because he knew it was the right thing to do. To my surprise, the sergeant gave in, and we learned that pushing forward is always an option.

Altos de Arena was beyond the mudslides, the landslides, and the fallen bridges. We had to leave our 4x4 cars and walk two hours uphill where we found a community of twenty-five houses. I still remember the look of the first woman who saw us. She asked who we were and what we wanted. In our meetings, we had agreed that we would response this way:

> "We are neighbors from Bayamón; we do not work
> for the government or any other agency. We knew it
> was rough up here and bring you water filters and
> some supplies. We know it's not much, but it is a
> gesture of solidarity. You are not alone."

The woman hugged me tightly, and I took deep breaths to hold in the tears I had no right to shed.

Hugs like this one were repeated many times in the more than fifteen brigades we organized from October 2017 to June 2018. All of us received hugs, and they changed us. They allowed us to listen because the most important thing in aiding communities is to hear their needs. We understood that the things we carried were no more important than the conversations we had. We felt the need to follow-up with the communities and did several times. In the follow-up visits, we brought doctors, children's camps, heavy-duty tarps that FEMA failed to provide, chainsaws and shovels, a wine bottle for a neighbor with a tragic life story, and books for a solitary neighbor who liked to read. Each brigade grew exponentially because we visited a new community while following up with ones previously visited.

We posted calls for volunteers on Facebook, and always more people arrived than we projected. One day we were expecting about twenty-five people, but when we got to the parking lot at the Krispy Kreme in Dorado, there were more than eighty people. There was someone delivering breakfast, a woman giving out coffee, people exchanging tools; there was music. There were smiles in the middle of the crisis; it was a festive mood.

In the process of distributing filters, we encountered three orphanages that we still routinely visit. A group of Mormon carpenters came from the United States to build roofs, and they joined forces with the Brigada de Todxs. They taught us how to build a resilient roof; with them, we were able to build four roofs that FEMA had denied. Our water and filters project became so much more, that when people ask: what does your group do? We do not know what to answer.

Another important element of the effort was its inclusivity. Given our name "Brigada de Todxs," we attempted to be open to whoever wanted to work. The group included anarchists, feminists, Christians, Mormons, University of Puerto Rico professors, students, kids, teachers, veterans, doctors, musicians, very diverse people; there were no distinctions made when it came to putting up a tarp, getting the chainsaw, or playing with the orphans. We were one, and this was incredible. I remember when Gamaliel, a friend and the pastor who let us use his facilities for meetings and distribution of supplies, said that our group was magical.

In the fourth brigade, a US soldier, who had been on the island since Irma, called us because he and his friends wanted to join us on their day off. By then, we had spoken on Fuego Cruzado[1] to a US journalist who had joined us in a brigade, and we had been outspoken with our criticism of the government. The paranoia of government infiltration came over me, and I wanted to say no; but I paused. In my university classes, I talked about inclusivity, the importance of contradictions, and the need for diversity that I couldn't say no without lying to myself. With a lot of doubts, I told them they could join us, but they had to leave their uniforms behind and come as civilians. Jeremy and five other soldiers accompanied us on several brigades. They helped to clear roads, and they also received many hugs. In their farewell, they told us that the only time they really felt they were doing something for Puerto Rico was with the Brigada de Todxs. They apologized for their president, their government, and their military institutions. We all hugged them, and the hugs were not uncomfortable rather they expressed a common mission well done.

The Brigada de Todxs delivered 513 Sawyer filters, more than 450 bags of groceries, more than 300 packages of supplies for children and babies, and 128 resilient tarps. We installed tarps in more than twenty-seven houses, helped file FEMA claims, cleaned many houses without roofs, and opened roads. Our doctors performed more than 100 free consults. We bought a generator for a dialysis patient, gave away furniture, and built one floor and four roofs. Still today we keep in touch with the communities and orphanages. We collaborated with other groups like ours to provide solar panels to families. We gave and received many hugs. We heard countless stories of helplessness, hunger, and death, but we also found a spirit of integrity and strength that was beyond our understanding. We will be forever grateful to all those souls, from inside and outside the island, who helped us start something. You are the promise that another Puerto Rico is possible. Let's keep it going!

2018

Translated by the author

For more information, visit: https://www.facebook.com/pg/Brigada-de-Todxs-164935170914256/photos/?ref=page_internal

---

1. The name of a radio program broadcast from San Juan, Puerto Rico.

Brigada de Todxs, 2017

Brigada de Todxs, 2017

FEMA

José Ernesto Delgado Hernández

*F*or it was they who punished us with thirst by confiscating
the freedom of water.

*E*ven the people's hunger they let ferment, denying us the
bread of solidarity.

*M*eanwhile, keeping our borders captive and thus our
country's pain stuck in their hands.

*A*nd there they go, merchants in crises, playing with supplies
like one plays with Legos...

November 2017

CAM AND STRATEGIES FOR CHANGE

GIOVANNI ROBERTO CÁEZ

Puerto Rico is drowning in a deep crisis in the aftermath of Hurricane María. The level of social drama, with thousands of people without food, water, or adequate medical attention, has confirmed the precarious situation in which large sectors of our society were living prior to the destructive cyclone. Along with the leaves off the trees, María removed the veil that hid the profound poverty of hundreds of thousands of people throughout the entire Puerto Rican archipelago.

The profound crisis, however, is not a continuation of quotidian situations but rather aggravated by an important and momentary erosion of the established powers. The Puerto Rican government's capacity to respond and recompose itself continues to be slow, guided by money, and quite blundering, almost a month after the hurricane. "Business as usual" seems to be the slogan of those at the top.

For us at the social cafeterias and the Center for Political, Educational, and Cultural Development (CDPEC, the Spanish acronym), this crisis has been a huge opportunity to count on the people and take an affirmative step towards the essential task of linking our transformation strategies to the people at the bottom. We work with the Mutual Support Center (Centro de Apoyo Mutuo or CAM in Spanish) with great excitement and hope, firmly intent on creating a community of resistance though food and other basic needs, not assisting. We're moved by development, growth, and the tasks of transformation, not by "relief."

It's true that all help is currently needed. We celebrate each plate of food that makes it to a hungry person, each medication that reaches a sick person, each road that connects us once more. We must help and be helped!

However, those of us with the CAM in Caguas have been activists for years, and we know that behind governments' "relief" hides a deep return to the crisis when the help ceases after the first wave. That's what lies behind the promises of "normalcy" from the government.

So then what would become of "Carmen Café"? (Because there are many "Carmen-Cafés" at the CAM!) What would happen if she had only gotten food for a couple of weeks? What would have been the point of Isaías' life if he had stayed home waiting for the $500 from FEMA? Where would Norberto and his tender greetings have ended up if he had stayed home all the time? There's a consensus: we would be depressed. Because getting together to share a meal, to heal, and to rebuild has been the most powerful way to break the cycle of violence that the system has so horribly accustomed us to.

Thus began the CAM. Because "mutual support" comes more naturally to human beings than "competition." In the food lines, we insist that this is not "assistance" like that conducted by governments. No. Applying the three-contributions model established by the social cafeterias, we explain to people that they can contribute by bringing materials, by bringing food, or by coming to help in whatever way they can. We ask them, "What's your talent?" I once overheard a colleague reply to one of the meal guests, "Well if you know how to sing, then sing." And we sang in the line!

We have received all sorts of things at the CAM. One of those health companies not worth mentioning went to hand out propaganda materials to those in our line, and we asked them to go away! A few employees of the Caguas Municipality tried to "work from there," and we told them it was better if they left! A representative of the Department of Family Affairs of Puerto Rico wanted to set up a table at the CAM to supposedly advise people, and you guessed it—Out! We want no representation from the old politics, no representation from those who are part of the problem, advising, explaining to people how to keep being part of the system. No! All of these people are patches. They're band-aids placed on a wound that's too deep to be healed by the same remedies.

At times, this radicalism can seem off amid such a deep crisis. A CAM colleague and I had an intense meeting with a representative from an NGO that launched after María who was promising to provide food and medical assistance escorted by uniformed military people. We asked her to come, but not with the military. In any case, we didn't want anyone in any uniform or with any weapon. The representative assured us she'd try, but at the time of writing this article, she has given us no appointment date, no food, and no medicines.

We're very aware that facing this crisis with a degree of social perspective is a huge challenge. There are all sorts of hungers and needs that are aggravated by the lack of drinking water and even of communication. What do we know from the mountains? What do we know of Vieques or Culebra?[1] What do we know of our people?

But I have great trust in what we do, because I hear the hopeful words of our activist volunteer teams at the CAM. They are the people constantly saying, "This cannot come to an end." "We can't let this fall apart." "María put us together to be family from now on."

That's why the CAM, far from being just a place in some town, is a grassroots movement from the bottom up transforming the dominant social relationships because deep down we know that it is these very relationships that have brought us here. Today, more than ever, "only the people can save the people."

October 18, 2017

---

1. Culebra and Vieques are smaller islands off Puerto Rico's eastern coast.

PART 3.
REIMAGINING
PUERTO RICO'S FUTURE

"Our Mother Earth, militarized, fenced-in, poisoned, a place where basic rights are systematically violated, demands that we take action. Let us build societies that are able to coexist in a dignified way, in a way that protects life. Let us come together and remain hopeful as we defend and care for the blood of this Earth and of its spirits."

Berta Cáceres
Goldman Environmental Prize
2015 Acceptance Speech

"Just Transition is a vision-led, unifying and place-based set of principles, processes and practices that build economic and political power to shift from an extractive economy to a regenerative economy. This means approaching production and consumption cycles holistically and waste free. The transition itself must be just and equitable; redressing past harms and creating new relationships of power for the future through reparations. If the process of transition is not just, the outcome will never be. Just Transition describes both where we are going and how we get there."

Climate Justice Alliance
https://climatejusticealliance.org/about/

BEFORE AND AFTER MARÍA

RAFAEL CANCEL MIRANDA

Hurricane María certainly caused some damages but not as many as the 120 years of colonialism, the criminal negligence and maneuverings, both from the puppet government and from the US imperialist government. Even before María, Puerto Rico was already in crisis due to a supposed multimillion-dollar debt. If we examine the truth, it is the United States who owes us. And there is a debt, they will never be able to pay: the thousands of young people who have died in their wars against peoples who've done nothing to us, or those who have come back gravely wounded, both physically and mentally. This reminds me that in 1949, I was sentenced to two years in prison by a US court in Puerto Rico for refusing to enlist in their army and go kill Koreans.

As soon as the US military invaded us on July 25, 1898, in addition to devaluing our currency by 40 percent, the first governor they imposed on us, Charles Herbert Allen, seized power over the island's sugar production. Through the years, the Yankees continued to destroy our economy to benefit the US economy. Since then, we have been working for them. The United States takes billions of dollars from Puerto Rico on a yearly basis, including the earnings yielded by the cabotage laws.[1] Hurricane María merely uncovered the poverty created by this situation.

María is now used as an excuse to justify the introduction in Puerto Rico of privatization and neoliberalism. I remember Don Pedro Albizu Campos' words when he said that colonialism would take the Puerto Rican people from being owners to becoming scroungers, and from being employers to becoming peons. Is this not what we're seeing? As thousands of Boricuas are forced to leave their native home, the colonial government continues to hand the homeland over to American millionaires.

---

1. Name used to refer to the Jones Act.

After the hurricane, the talk on the street is about the rebuilding of Puerto Rico. But where is the power to do so when true power lies with the United States and said power is imposed over here to exploit us and not to help us? Puerto Rico can only be rebuilt by Independence. We have the capacity and the means; independence will give us the necessary powers to build our homeland for Puerto Ricans.

October 10, 2018

NO. PUERTO RICO
WILL NOT RISE AGAIN

Roberto Ramos-Perea

At the risk of being vilified by an army of superficial optimists, the fact is that it's not going to happen. We will never rise. Ever.

If by "rising" we mean being like we were before Irma and María, I'm sorry to inform you that the number of businesses announcing permanent closures, firing hundreds or thousands of workers in the coming brief month, is beginning to disprove you.

Add to that the massive emigration and its disastrous consequences, on top of the irreversible disaster in and abandonment of entire communities inland, which will literally disappear.

Add to that as well the perpetuity of rampant corruption and disdain for the country that politicians and government officials have shown through their incompetent management of the crisis.

And then add the filthy complicity of the press that gratuitous servility, that embarrassing hand kissing in public relations fashion, which makes one long for the times in which the press represented the oppressed masses. These days, it is nauseating to see how the biggest scandals parade right under their noses, and they prefer to LIE in order to safeguard their corporate lives before their obvious master: the government.

Add to that the stench of bureaucracy. Thousands of donations in aid coming from overseas, and they never arrive because a miserable gringo government official, a disgrace to his "land of the free," simply doesn't friggin' feel like allowing it in.

Add to that as well the impunity of waste, theft, hoarding and misuse of help received and to that, the federal and local bureaucracy; add as well the disdain from the US government; add a new awakening of the Fiscal Control Board, which will come like Mephistopheles to collect from wherever he can; add the hypocrisy and free-riding of colonial pro-statehood politicians who kiss the soles of the shoes of congress people who are only seeking a check for their campaign.

Add to that panic, stress, violence, crime, and shootouts in the dark.

Add to that the ever-present abuse and avarice from businesses that have quintupled the normal price of a bottle of water, especially those gringo megastores that will never shake the habit of exploiting us as a people.

Add to that the continuous lies that cover up the already-started privatization of our patrimony. Add the lost days for students and professors.

Add the fed-up-ness of those depending on electric power to bring food to their tables. Add the cultural delay (closed theaters, unemployed artists)… the stuck economy, which ends up sinking without hope for recovery. If we had hit bottom before through our misery, what chasm will be deeper after this hurricane?

Add the sense of failure from having had a nation econo-mically bankrupt now turned into a nation environmentally bankrupt with moral bankruptcy.

Add up ALL THE LIES! From the storyline that everyone is eating warm meals to the storyline that the Palo Seco energy plant no longer works and that very soon we'll be seeing a million gringo brigades that will do what ours have not done. Lies that protect the criminals who govern us, that protect contracts and parties.

Do you really think that given this whole picture, Puerto Rico will rise? Rise to where? Led by whom? Blessed by what god? If we've NEVER been prepared for falling down, how the hell do we prepare to rise up?? Puerto Rico will not rise. Ever. With a lot of effort, some of the things that the wind blew out of place will be returned to their place. Water, electricity, roofs, Netflix… but from that to lift up a spirit destroyed by violation and abandonment, by abuse, by ineptitude… No. No one rises up from that feeling.

For that we need a Revolution, not some damn faith in a useless and helpless government nor much less in a supposed story of "triumph over adversity" to rationalize the oblivion of this pristine and undeniable genocide of a Nation that has been curdling for 500 years and is now spoiled. Go on throwing that idiotic optimism in our faces. Go on saying we're blessed. That Puerto Ricans can fight against adversity and conquer with flying colors. What more adversity is there than 500 years of colonialism, which we've NEVER been able to escape? When we rise from this hurricane, we'll be faded sepulchers.

A revolution is in order, a change of hope. Courage to point at the culprits, scream at the oppressors, protest in lines, do what must be done without waiting for permission. Watch for the life of justice with the anger of those who suffer. Raise our voices and cries at the doors of power, strip misery before the eyes of the powerful. Force them to turn their scornful face. Be a Puerto Rican in character and struggle. Not coddled optimists who've been put to sleep with Pablo Coelho slogans (or what has been the latest slap in the face: the press calling the First Lady "the angel of the poor").

Whoever keeps on smiling, thinking that everything will be okay, whoever keeps accusing realists of pessimism, when you return to your voting booth (if you have anything in your heart other than a miserable partisan colonialism), remember the 1,000 dead; and, among those, the elderly who left this life because neither the gringos nor the miserable government we have did a single thing to prevent it. There is not better motive for a revolution than the soul and face of its dead. If something must rise, let it be thm—the ones who died for lack of medicine, from hunger, and from thirst.

October 2017

CRY FROM THE HOMELAND

Mariela Cruz

Tired of your threats, I face you.
Right here so you can't miss my demands.
My conscience has long been consistent,
the truth, my flag and coat of arms.

In vain you aim to destroy what is my essence.
Strike then, if it makes you feel courageous.
Attack with your cowardly arrogance,
I'm the rock, I'm the wall… your impatient.

Hunger and ignorance are shackles.
Bonds that continue to corrupt us.
Insane are the crumbs you throw me,
foolish words I don't accept.

Ready for battle I stand.
I dare you to throw the first blow.
We won't be short in returners.
I'm David, and my slingshot awaits you.

No longer do I fear the brainless giant,
in his blood only Mr. Money flows.
Vultures who feast on human suffering,
a kingbird the hawk does overtake.

Here I am, ready to battle,
I use words and verses as a weapon.
Sentiments in action are turned language,
I am the voice of the one who never speaks.

I'm the rampart of remembrance gravely wounded.
I'm a machete; I'm the stone in your entrails.
I'm the *Ceiba*, gripping tightly faced with struggle.
I'm the sharp one you've mistaken for a fool.

I am culture, I am language, I am land,
that expresses courage throughout history.
We become one when our pride is affected,
we're eager to achieve our victory.

Don't hold back your words, they're your weapons.
Shout strongly for those who can't.
We are race, we are soul, we are mind.
We are a people known for bravery.

Let's unite our voices in a single cry.
So the world may hear the naked reality.
If your weapons are verses and words,
scream out loudly to demand liberty.

September 2017

AGROECOLOGY AS A TOOL OF SOVEREIGNTY AND RESILIENCE IN PUERTO RICO AFTER HURRICANE MARÍA

CivilEats.com, Heather Gies

Even before Hurricane María devastated the island back in September 2017, Puerto Rico already imported 85 percent of its food. Local farming declined decades ago amid US-led industrialization on the island, following a shift away from diversified small-scale farms to plantation agriculture. An ailing economy, austerity, and the fact that 44 percent of Puerto Ricans lived below the poverty line all deepened household food insecurity.

Facing a non-response from the federal government after the hurricane, residents joined forces to support one another and rebuild. And as part of the larger effort to restore Puerto Rico's decimated farmland, some advocates have spent the last year helping vulnerable farmers become more resilient to future climate-fueled disasters.

Organización Boricuá de Agricultura Ecológica de Puerto Rico, (Boricuá Organization of Organic Agriculture of Puerto Rico), a 28-year-old grassroots farmer and activist group, has led the charge. With an estimated 80 percent of the island's crops wiped out, the group mobilized support brigades to assist food producers and used a grassroots, farmer-to-farmer approach to share knowledge about agroecological farming and food sovereignty.

The brigades organized volunteers to lend a hand to farmers in need, turning fields and gardens into hands-on classrooms and spaces for social and political dialogue. Against the backdrop of an uncertain death toll, which the government eventually raised to nearly 3,000, limited communications, and a blackout that lasted for months, they planted fresh crops, cleared fallen trees, opened roads, and rebuilt homes. And their effort is ongoing; after more than a year of slow reconstruction, tens of thousands still lack reliable electricity and adequate housing.

For the organizers behind Organización Boricuá, María also illuminated the challenges and inequalities of Puerto Rico's relationship with the United States. On the heels of a US fiscal control board rolling out privatization and austerity to manage the island's crippling $120 billion debt crisis, the US government's failure to effectively mobilize federal resources for disaster relief after the hurricane have become the new symbols of Puerto Rico's colonial bind. In response, the group promotes sovereignty from the fields.

CivilEats.com spoke to members—Dalma Cartagena and Jesús Vázquez—at the 2018 US Food Sovereignty Alliance national assembly in Bellingham, Washington, where Organización Boricuá won the Food Sovereignty Prize. The prize, created as an alternative to the World Food Prize and its celebration of market-driven responses to global hunger, spotlights national and international honorees who model and inspire grassroots solutions that democratize and transform the food system. The conversation with Jesús Vázquez (JV) and Dalma Cartagena (DC) has been translated, and edited for clarity and brevity.

What have been Organización Boricua's most important successes or impacts over its nearly three decades of work?

JV: One of the biggest achievements has been organizing farmers, agricultural workers, peasants, activists, and educators —[bringing] people from different areas together for a more just, resilient, sustainable kind of agriculture, which for us is agroecology. We see agroecology as our tool of struggle to achieve food sovereignty.

What are the greatest challenges of working to advance food sovereignty in Puerto Rico, and how have they changed since María?

DC: The issue of education continues to be a challenge. Political training on the foundation of agroecology is also a challenge, which has become clearer after María. It's about understanding that we have the capacity to be self-sufficient and produce our own food—healthy food—with fair processes for all human beings but also for the land, rivers, air, plants, and all biodiversity. We have to be aware that we are part of an agro-ecosystem. Raising this awareness within and beyond the organization in Puerto Rico is a challenge.

Has the Hurricane's devastation opened up new possibilities to promote and advance sustainable farming?

JV: In addition to the bad it brought us, Hurricane María also opened our eyes. Especially for those whose eyes weren't very open yet, caught up in the routine of trying to survive.

We have a direct relationship with the United States, supposedly one of the biggest powers in the world. How can it be that it treats us this way? How can it be that the money FEMA collects [in part from Puerto Ricans] to do recovery work, benefits North American companies in Puerto Rico and not Puerto Rican projects, organizations, institutions, or the Puerto Rican government itself?

The crisis makes our colonial context more evident. Despite the fact that we lost lives—which we should never hide, like the government did—we have to recognize that it is also an educational experience. And in our sector of agriculture, agroecology, and food sovereignty, we have reflected a lot; we are preparing ourselves better, and we have realized that the best thing is the grassroots.

Have you been able to work on new projects, new solutions?

JV: First of all, María was gigantic. María hit us diagonally from the southeast to the northwest with a perimeter almost as big as the island, with a lot of force. We started doing what we know, which is the support brigades. But we are in a reflection stage within the organization to formalize our processes. The committee on education and activism, for example, is working on a formal agroecology school.

The organization also created a local certification process that tells USDA Organic there is a different way. We want to carry out the inspections ourselves in our way, listening to peasant farmers whether they are agronomists or not. And the farmer support committee, which manages the brigades, continues projects within the organization, but also for people, projects, or other communities that ask for help. The organization goes to the farmers [to help them in the fields].

Why did the support brigades start, who benefits, and what are their short- and long-term goals?

JV: We say the brigades are Organización Boricuá's organizing and educational methodology. We are a grassroots membership, and we have members in different regions of Puerto Rico. The brigades are open to the public in general, not just members. Some people join and go to an agroecological farm for the first time, and a relationship of solidarity between producer and consumer starts.

The brigades offer a way to reach new people. They also offer support to farmers who need help. Thirty people arrive, many with experience in agriculture; and, the work it would have taken the family one month to do, gets done in one day. The work moves forward; it's a space for reflection, discussion, a workshop—it has an educational function. And it is replicated from place to place. For us, brigades are a methodology to massify agroecology.

Dalma, you've been teaching children about agroecology for nearly two decades. What does that look like?

DC: I start with children who are 8 and 9 years old. And the children learn all the skills related to producing healthy food through agroecological practices. They learn compost making, about using plants that can improve soil quality, like legumes, about the use of ground cover, planting different vegetables, and Puerto Rico's staple products.

And the curious thing is that as they learn they become teachers. Once they learn one of these skills, they apply it, not only by doing it, but also by teaching others. We've touched thousands of children over the last eighteen years who've learned these agroecological production skills, and many have chosen professions related to agroecology. It's extraordinary. Children say that when they are close to the land, they feel like heroes that no one can hold back. These are words I have been hearing repeatedly over the years. They feel they are bringing something new to the world. Our hope is for this to be replicated in every school; the right to know how to produce healthy food should be a fundamental human right. This skill needs to be in our hands and in our memory.

Do you think this land-based education can build a different future for Puerto Rico?

DC: When we lose our relationship to the land, we lose everything it brings us. [Land] gives us peace, power, happiness, sensations of abundance, and all of this is lost—robbed—from children who don't have this opportunity. If you cut off that relationship, you have a human being oriented toward death and not toward life.

How might agroecology in Puerto Rico mitigate the impacts of the changing climate?

JV: Scientifically, we know that agroecology cools the planet. In Puerto Rico's case, it represents resistance and resilience. Resilience in the agroecosystem and resistance because when we talk about agroecology, we're talking also about social justice. The founding members of Boricuá realized that we have to be organized. It offers space for resistance and transformation. Legally we are a North American territory. We have a colonial context. Agroecology is a tool to exercise our sovereignty on the land. What's more important than that? If we manage to expand this movement, it will become easier to overcome other challenges. Working the land, watching seeds germinate, and reaping the satisfaction of a successful harvest are more political than any book we could read.

What can other food sovereignty and environmental justice movements learn from the experience of Puerto Rico at this moment?

JV: The hurricane put agroecology to the test, and we had positive results. We have several colleagues with farms who have told us how through years of practices like crop rotation, intercropping, incorporating organic matter, ground cover, they managed to preserve the topsoil [through the devastation of María]. That's gold. If water doesn't take the topsoil away, I have somewhere to plant seeds the next day. We had farmers who had landslides, but in their fields they didn't suffer erosion. Some farmers even managed to have some crops withstand the hurricane. Some farmers with yucca, for example, a root below the ground, cut the stem so the wind didn't take it away, leaving just a bit above the ground. Water and wind passed over, but the yucca was still there, and the next day they were able to harvest and provide food for the community. It was these agroecological practices that allowed us to eat and to recover more quickly. Without a doubt, agroecology is better in the face of climate change.

We've also learned a lot about renewable energy, and we're working on becoming less dependent on State energy resources. We have some projects that already had their systems in place, and we have seen results, and other projects that have started developing their systems due to the experience of the hurricane. We also talk a lot about mutual support. It's very important. Aside from the technical and practical sides of how the agroecosystem can withstand a hurricane, how we can have energy, and how we can harvest rainwater, there's the social part and the issue of mutual support. International solidarity is essential especially in the context of climate change.

October 2018

THINKING ABOUT…

Roberto A. Franco Cardona

I'm a farmer of colors, shapes and spaces.
I grow sounds that are lost
on deaf ears. Let us not be like those
who make holes in the soil to plant
money and harvest sterile hopes
on vacations marred by time.

I'm a piece of ripe fruit in time.
We're the masses who think, hiding
somewhere, harvesting dreams
with scents of hope to later
cook them in blood already dried
by the previous war,
and I aim my cannons at the wind,
waiting for the echo of their impact,
already marked on the map of dreams.

Careful not to plant the wrong seed
in the perfect hole for our stomach,
thirsty for nourishment, not poison.
And I feed on the color and sound
stored within me,
like an old echo.

I'm a farmer of food for the spirit,
of fuel for the brain. And I live quite
nearby, right where you cannot see me.

You can only perceive me in nights of madness
or in bohemian circles of dreams
transformed into metaphors of love.

I know not whether I walk on air or on
solid ground,
but my fingers are stained with clay,
and I walk over rocks destroyed
by the blind who plant seeds
in the lobby of the Banco Popular.

I'm a fugitive of the law in my own right.
And though my freedom may be locked up,
I'm like the hoe in the countryside,
which by opening furrows, sows tomorrows
that without being developed already convalesce.

And how do we rescue agriculture?
Is it with poems or with seeds that carry
injustice and false hopes?
I do not know. Maybe?

Might it be the water?

August 2018

I ASPIRE TO CLEAN WATER
WITH OUR EARTH

AMARA ABDAL FIGUEROA

Have you ever tasted water from a clay vessel? It is one of the simplest and richest flavors of our planet.

Filtering water with clay is nothing new. Many of our ancestors around the world did it. I remember seeing storage vessels and water filters in the Middle East. It was the norm, especially before the discovery of oil.

I want to foment the production of an ecological filter in and for *el espíritu de la tierra*: Borikén.[1] In the aftermath of Hurricane María, I was strongly drawn to this rudimentary and sophisticated technology. In the Caribbean, we have an abundance of clay soils and rich water—what we lack is the confidence to purify it. My dream is to make accessible a filter that can purify our precarious water and build a network of low-cost fuel-efficient kilns particular to Puerto Rico. I intend to produce this filter locally and catapult off-grid ceramic practices on the island. I have experience and an incalculable desire to see this through.[2]

In January 2018, as a result of both rigor and chance, I was in conversation with Potters for Peace, *Ceramistas por la Paz*, an NGO that has contributed to the establishment of more than fifty filter factories in thirty countries and has provided continuous support to filter makers and ceramists in rural

---

1. Taino name for the island.
Bori = spirit ken = tierra = earth (Norma Medina, video *La aldea la luna*, Archeologist) vs. Puerto Rico / *Porto Rico*, where our *"Riches"* leave our *"Porto".*
2. MAATI is an interdisciplinary project integrating traditions and ceramic precedents from around the world as a resource for ceramic practitioners in Medellín, Colombia founded by Andrés Monzón, Parul Singh, and Amara Abdal Figueroa at Campos de Gutiérrez, a residency for artists. Through research, educational programming, and production, it contributes to the viability of ceramics as a discipline and serves as focal point for conversations about the role of ceramics in contemporary art and quotidian objects.

Nicaragua for more tan thirty years. Ron Rivera,[3] a Puerto Rican activist from the Bronx and former international coordinator for Potter's for Peace, dedicated his life to opening filter factories around the world. He believed that all people have the right to potable water. His dream was to open 100 filter centers. With our missions so closely aligned, I aspire to build one of the many interconnected and simultaneous efforts that will continue his legacy.

Rivera was crucial in standardizing the water filter by developing a two-part mold. The recipe of clay and sawdust gets pressed into a flowerpot form. When fired, the sawdust burns away, leaving numerous holes for the water to pass through the winding paths of the porous filter, trapping bacteria and viruses. The resulting filter has an ideal flow rate of one to two liters per hour. Coating the filters with colloidal silver, an antibacterial, serves as an added layer of protection. The result: *clean, fresh water.*

Potters for Peace sent me their protocol to study our environment in Puerto Rico. Critical to production of a microbiologically effective ceramic water filter is the proper mix of materials and temperature levels. Extensive testing, recording, and standardizing of results must be conducted to define the proportion of clay and combustible material, and optimal firing temperatures that work best in each terrain. As a result of completing self-directed research and an exploratory course with Potters for Peace, I was certified to open and direct a filter production center.

In my artistic and architectural practice, I have identified the basic needs of a range of ceramicists in Puerto Rico from those working with overpriced imported clays to those actively studying the clay under our feet. A common concern is that the ceramic pieces being fired are not reaching the temperature needed to become solid due to the inconsistency of the compromised electrical infrastructure. Vitrifying a filter requires a sustained and regulated firing of at least eight hours. Based on

---

3. Rivera became passionate about ceramics in the early 1970s when he studied in Cuernavaca, Mexico with Paulo Freire and Ivan Illich who taught that human beings had lost their connection with the earth.

the clay testing protocol and our indigenous precedents,[4] we can acknowledge that clay is a viable resource.

Examining clay bodies for water filtration in Puerto Rico requires building a 'Mani kiln,'[5] that can stack up to fifty filters per firing, and producing a hydraulic press mold. By setting up a small scale filter factory, developing the recipes, pressing the filter, and training kiln operators, not leaving out educational programming, the collaborators will be able to take this knowledge with them. The challenge is to create a business model that can make this project sustainable in a financially austere Puerto Rico.

I see the water filtration project as one that can have a ripple effect in autonomous communities, incorporated into educational agroecological efforts as well as art practices by stimulating a technical discourse near natural clay deposits and soon-to-be-built kilns. It is a reclaiming of territory, a response to the massive land grab, a way of taking back our land.

This everyday object can improve our health, current material culture, and relationship with our environment. It is a proposal of collective healing. *How can we heal our bodies with our landscape? By cleaning our water with our clay.*

I will continue this vision in the way I know how: rallying local and international activists, makers, and thinkers through ceramic arts. Each kiln firing will provide many lessons through intrapersonal collaborations with each other and our elements. This will reconnect us with our earth.

And now, let's clean water with clay, *salud.*

November 2018

---

4. The archeology of the first agroceramists (called *huecoides, salaoides,* or *igneris*) is the excellency of their ceramics, which possessed high technical and artistic expression.

5. Named after Manny Hernandez who developed a cross-draft fuel-efficient kiln made of earthenware brick making it ideal for filter production, a mid-range fired object, popular in Central America and beyond. When this kiln is made of a refractory brick, reaching high temperatures is within reach.

OUR ENERGY INSURRECTION

Arturo Massol Deyá

Our country lacks a collective consistent vision for the future as we're led to failure through agendas that represent the interests of others. Therefore, when the federal congress wishes to impose the gasification of our country, far from a step forward, the measure represents a new colonial imposition of energy dependence and submission to fossil fuels. It is distressing to see the servility role taken by those who even claim to be authors of the clearly savage agenda being channeled by congressmen like Rob Bishop.

The blackmailing has begun, as well as the repetition of fallacies claiming a 40% in savings, which will create false expectations. Investing in natural gas requires more infrastructure than what's initially being discussed, like tolls, storage capabilities, gas pipes, and access to docks, among other costs entailing fluctuating prices over which we have no control. Even worse, and contrary to general wisdom, emissions of greenhouse gases will be higher due to the need to liquefy the gas before transporting it to the island and regasifying before consumption. During these processes, methane emissions—eighty times more potent than CO_2—represent a net surplus of greenhouse gases. Therefore, if someone stands to benefit from gasifying, it is not Puerto Rico, but rather the gas cartel, along with Trump's ahistorical vision that denies climate change and promotes more fossil fuel combustion through destructive fracking in the United States. They are the ones who will benefit.

Reaching an agreement about critical issues has been our great challenge. Those who control political power in Washington, D.C. use our divisions as an excuse to take no action or to dictate however they please. But if one thing has emerged as a clear national consensus, it is the majority's rejection of our colonial condition and the fact that the energy system is an obsolete configuration needing reengineering. But this reengineering cannot consist of the substitution of one dependency with another.

Energy is the capacity to do work. The internal dilemma is clear: either we produce our own energy where it is needed, in a clean and renewable way, or we keep depending on imports of fossil fuels which, apart from bleeding our economic capacities, pollute and also require a reliable distribution system to bring power to each house. Of the monthly bill received by subscribers to the Puerto Rico Power Authority, nearly half goes to paying for the required fossil fuels. In the first decade of the millennium, $22 billion were spent on the cost of oil, gas, and carbon—a capital drain that aggravates an economy already collapsing.

Perpetuating energy dependence is perpetuating the colony as well, keeping the island as captive consumer of a fundamental economic line item, while limiting our capacity to produce our own energy and wealth. Therefore, if decolonizing Puerto Rico is a consensus that has broken through political ideologies, promoting energy self-sufficiency through endogenous resources, such as sun, wind, water, and biomass, should be as well. It is so much so, that even the Federal Department of Energy understands the importance of adopting renewable energy, like in the state of Hawaii, where they are committed to achieving energy self-sufficiency by 2045. Or if a republic is more your cup of tea, then look at Costa Rica, Uruguay, Portugal or Iceland, all live entirely on renewable energy.

When we welcomed in Adjuntas a group of congress people from the United States in July of 2018, including Nancy Pelosi and Nydia Velázquez, in addition to sharing our experiences as a community grassroots organization, we argued our case in favor of beginning the decolonization of Puerto Rico with concrete actions by building an energy system modeled for self-sufficiency. We maintained that tending to the generalized poverty of the region could include seeing our people not solely as energy consumers, but also as its producers.

Finally, the local government welcomed the issue of renewable energy affirming that Puerto Rico should reach the goal of 100% by 2050. If their words were backed by intention and action, this statement would represent a great step forward for the nation, and one more success for the country's social movements, including the University of Puerto Rico. However, there's still a lot of struggle ahead. As they say in the countryside, this is nothing but a flimflam. The Government's definition of 'renewable' alternatives includes the incineration of solid waste while practically all critical projects under consideration include gas or other fossil sources as alternatives to oil. They tell us "it's for the transition to renewables" seeking to confuse, manipulate and deceive our people. If they manage to gasify the island with this government smoke screen, this agenda would, in practical terms, represent the most significant halt to the integration of those renewable energy sources that we've been little by little establishing in the country.

After Hurricane María, it became evident that the energy crisis and all its consequences were not due to the absence of energy generation capacity from the oil, gas, and carbon plants. These generating powers were there, and we actually have too many of them. In fact, they supply 98% of our energy demand, even when we have so much sun at our disposal. According to engineering studies, it would suffice to place sun panels on fewer than 65% of our existing roofs to generate 100% of the energy demand at peak hours where it's needed. Currently we don't even take advantage of this for 1% of our energy generation. In fact, due to depopulation, advancements in energy efficiency, such as energy-saving light bulbs and more efficient appliances, as well as the deindustrialization of the island, the total energy demand has diminished significantly in recent years. Therefore, how could the solution for the future, in order to tend to the energy crisis, be to build new generating plants (new debt) to burn even more? This proposal behind closed doors represents nothing new, nor does it offer capabilities for resilience, the fashionable term so many politicians like to parrot. Gasifying our infrastructure as transition fuel to renewables is just a myth.

Missing from our energy portfolio are investments in renewable energy sources, with local resources, in alliance with the people themselves. If those at the top want to condemn us to stay in the past, the route within our reach is to promote change from below by way of an energy insurrection.

As part of its grassroots community initiatives, Casa Pueblo works to achieve a change in the energy landscape of Adjuntas and Puerto Rico by addressing food security, communications, education, entertainment, the right to energy, health, and economic stimulus. Dozens of solar-powered refrigerators have been installed in homes across all neighborhoods of the municipality, while Radio Casa Pueblo operates entirely on solar energy including its antenna/broadcaster. This energy configuration, which redefines solar energy as the primary source, is today a precedent for communications in Puerto Rico and the Caribbean. In addition, a solar-powered movie theater operating under a micro grid from the Casa Pueblo headquarters is part of a new service set-up aimed at sustainable development and community resilience.

One of the first economic stimulus projects consisted of bringing solar panels to power the historic barbershop of Don Wilfredo Pérez. Months later, when we asked him about his electric bill, Don Wilfredo became the first person I've ever known to get a sparkle in his eye from such a request. Literally, the meter reading on his bill exactly matched the reading from months before. In other words: zero external energy consumption. While he used to pay around $65-$75, now his total service charge does not exceed $5.80, which corresponds to the "flat rate for account service." That saving represents an economy that stays in his hands to alleviate poverty and socio-economic injustice. "I didn't even notice the blackout. The clients are the ones who tell me when there's no electricity in town," he told me with a mixture of pride and joy. New clients, reduced interruptions in their production activity, and wealth are some of the benefits of powering these spaces with solar panel systems.

The barbershop is one more in a profile of projects having to do with power generation and efficiency at the point of consumption organized by Casa Pueblo. In just a few months, we tended to the needs of ten homes in the sector El Hoyo with emergency solar generators on loan to keep medical equipment, such as dialysis machines and respirators, working. In the same way, we addressed food safety issues through five solar-powered grocery stores geographically distributed throughout Adjuntas' rural areas. When it comes to education and entertainment, we set up solar classrooms in our *Bosque Escuela*, or 'Forest School.' We also installed solar systems to power up hardware stores, fifty homes, which neighbors dubbed '*cucubanos*,' or 'firefly houses,' provided emergency solar power systems in homes of patients undergoing peritoneal dialysis, and powered *Vista al Río*, the first *lechonera* (typical 'pork stand') of a young worker, and the pizzería, *El Campo es Leña.*

Of the total energy demand in Puerto Rico, residential consumption makes up 36.5%, while the rest corresponds to commercial demand (47.4%), industrial (14.1%), public lighting (1.47%), agriculture (0.15%) and others (0.31%). As an initial transition strategy, Casa Pueblo is pushing to transform the residential sector, which is within the people's reach. The residential sector consumes 6.6 billion kWh per year in order to meet the energy demand of 1.35 million residential clients. The average annual consumption per resident is 4,917 kWh, which translates to 13.4 kWh/day. This total demand could be met with 3.36 kWp in roof panels, or the equivalent of six solar panels of 330 Wp each, with energy storage capability (batteries). As a goal, we launched '*50 con SOL,*' or "50 with SUN," that is to say, the creation of a goal where 50% of the residential energy demand is met in a distributed way with solar energy systems at the point of consumption by the year 2027 (ten years after hurricane María).

There are steps being taken which move us forward, such as assuming the role of assisting those most vulnerable, and driving new and alternative financing sources, like involving the cooperative sector. Generating 50% of the residential energy demand is equivalent to $481 million saved per year in terms of fuel, or the equivalent of 'closing' the generation of one of the country's largest thermoelectric plants.

The energy insurrection route is an agenda that belongs to us, to our future. It is a democratic and participatory path through which the generated wealth stays in the country to address our reality instead of continuing to enrich those who have the most, whether they be the moguls associated with natural gas or oil or dirty carbon. To them, we will give no more; they compromise the habitability of our Planet. If we are to take a step, let it be to face the future.

November 2018
(Published with author's permission.
A version of this work was originally published in August 2018 in media alliance between the weekly publication *Claridad*, the digital magazine *80 Grados*, and the regional newspaper *La Perla del Sur*.)

THE NECESSARY TRANSFORMATION
OF THE PUERTO RICO GRID

RUTH SANTIAGO

A year after Hurricane María, Puerto Rico still depends on unreliable transmission lines. These lines transport energy from large central station, fossil fuel plants in the southern part of the island through the central mountain range and tropical forests to load centers in the San Juan metro area in the north. The lines are frail and subject to constant breakdowns like the failure of a transmission line 39000 in the town of Aguas Buenas in September 2018, which left tens of thousands of households in eastern Puerto Rico without power for days. Blackouts, both small and large, like two in April 2018, were due to transmission line failures that tripped the whole or a substantial part of the grid.

The two big Puerto Rico Electric Power Authority (PREPA) plants: the Aguirre Power Complex and Costa Sur, and two private power plant generators: Ecoeléctrica and Applied Energy Corporation System (AES), are all located in southern Puerto Rico and transmit power to the northern part of the island. The Aguirre Complex and the AES coal burning power plant are the primary sources of toxic emissions in Puerto Rico and disproportionately impact some of the poorest communities in the southeastern part of the island. The AES plant located in Guayama, which transmits electricity to the San Juan metro area, accumulates hundreds of thousands of tons of coal ash waste at its site that has already contaminated part of the South Coast Aquifer, the sole source of drinking water for tens of thousands of people. Continued reliance on these plants for energy transmission to San Juan is another disaster in the making.

Many people believe that the high death toll, estimated at 2,975 to 4,645, associated with Hurricane María is attributable to lack of electric service to power life-saving medical equipment. The elderly are especially vulnerable during power outages, and Puerto Rico's population is increasingly older as working age people flee the island in search of economic opportunities. Yet jobs could be locally available if there were a swift transition to rooftop solar communities and other alternatives to central station, fossil fuel generation, and long-distance transmission.

The advantages of clean energy generation at/or close to the point of consumption, like rooftop solar, are many. They include the use of existing sprawling housing development rooftops to avoid further impacts to open spaces, agricultural land, and ecologically sensitive areas. Rooftop solar eliminates the need for large investments in transmission infrastructure and avoids transmission losses. Grid maintenance costs are reduced and impacts to forest and vegetation as a result of tree cutting and pruning are minimized. The rooftop solar alternative doesn't require establishing extensive easements or servitudes on private property. It helps to lower temperatures within the structures and provides protection to the buildings. The rooftop installations add value to the structures and promote local wealth. Distributed generation on rooftops creates greater reinvestment in the local economy than utility scale projects. It enables ratepayers to become producers or 'prosumers' of energy, not mere consumers, and allows for resident and local community control, particularly important during outages of the main grid as experienced after Hurricane María. Rooftop solar enjoys broad support from civil society, unlike land-based installations that have been the subject of considerable opposition.

Frequent power outages primarily due to transmission failures are compounded by choppy telecommunications services. Dropped calls, and slow and scanty internet service, are common in spite of the fact that the big telecommunications providers charge hefty fees for this malfunctioning service. The experience with diesel and gas generators after the hurricanes was plagued by fuel shortages, toxic emissions, and machinery breakdowns. Some people started to move to rooftop solar because these installations held up very well during the hurricanes and don't require fuel or much maintenance. The Association of Renewable Energy Contractors and Consultants (ACONER, its Spanish acronym) indicates that they are installing five to six times more rooftop photovoltaic equipment with battery energy storage systems than they were prior to Hurricane María.

Scattered throughout Puerto Rico, a few organized communities, rural aqueducts, individual homeowners, small-scale farmers and others are installing or planning to install solar energy systems. In Salinas, for example, a community group called Junta Comunitaria del Poblado Coquí, Inc. and Iniciativa de Ecodesarrollo de Bahía de Jobos, Inc. (with whom I collaborate) are running a pilot rooftop solar project from a community center and training and educating local youth about energy issues with plans to expand into a solar community.

Many existing community energy initiatives have been focused in remote areas or environmental justice communities disproportionately impacted by fossil fuel generation. Although valuable, this approach will have limited impact towards meeting the goals of augmenting renewable energy generation in Puerto Rico. Compliance with the existing Renewable Portfolio Standard (RPS) and the more ambitious targets recently announced by government, foundations, think tanks, and other stakeholders require assertive measures and widespread community participation.

Currently, 98-97% of electric energy in Puerto Rico is generated from fossil fuel combustion and only 2-3% from renewables, not nearly achieving the RPS established via legislation[1]. Historically, PREPA has made huge outlays of funds, up to three billion dollars ($1-$3B) per year, for fossil fuel purchases and payments under power purchase and operation agreements. The oil, coal, and natural gas burned by PREPA and the two private electric energy plants is sourced from wells and mines far from the island, which increase the cost of energy generation.

The consensus is that Puerto Rico must move to integrate substantial amounts of renewable energy and other alternatives to fossil fuel electric generation. One lesson (hopefully learned) from Hurricane María is the recognition that Puerto Rico located in the Caribbean; the "Continent of Islands" is part of a

---

1. The Puerto Rico Energy Diversification through Renewable Sustainable and Alternate Energy Public Policy Law (Law No. 82 of July 19, 2010) requires generation of sustainable renewable energy to be produced in Puerto Rico at the rate of 12% renewable energy production by 2015, 15% by 2020, and 20% by 2035.

well-known hurricane corridor. The human suffering and deaths caused by Hurricane María, the lack of maintenance to the electric grid, as well as other structural problems and disaster planning deficiencies have been immense. The transmission poles, towers, and cable lines crossing the central mountainous areas and forests from the electric plants in southern Puerto Rico to demand centers in the north demonstrate a design lacking in durability and resiliency against hurricanes. After Hurricane María, the generalized lack of electric power from the grid and the grid-dependent photovoltaic systems, which did not operate independently of the network, forced Puerto Ricans to create alternatives to energize their residences and other facilities.

The proposed Puerto Rico recovery plan should support efforts to transform the grid with rooftop solar communities that pool available resources to operate as microgrids with the ability to connect and disconnect from the larger grid, along with energy demand management, efficiency programs and other alternatives as outlined in the *Queremos Sol* platform ("We Want Sun"), www.queremossolpr.com.

Although the government of Puerto Rico has announced an ambitious renewable energy goal, the actual allocation of funds is going towards "hardening" the transmission system that would still be vulnerable to hurricane winds, diesel generators, and conversion of existing plants to burn natural gas and related infrastructure. Earlier in 2018, PREPA issued a Request for Proposals for an energy project for the island municipalities of Vieques and Culebra that seems tailored for diesel powered generators and rules out the possibility of rooftop solar communities that are especially well suited to the small islands. Subsequently, Siemens Industries, a PREPA consultant, issued a preliminary integrated resource plan that would establish a roadmap for the Puerto Rico grid, which would virtually crucify the island with expensive natural gas infrastructure including a pipeline running from southwestern Puerto Rico to San Juan and four marine liquefied natural gas (LNG) ports.

Puerto Rico needs to jump-start rooftop solar communities in a concerted effort that must be led by civil society groups. Many people fear that Puerto Rico's energy grid, and especially the transmission lines, will not withstand the next hurricane that could happen any day now.

SELF-HELP GUIDE TO NAVIGATE THE SIX-MONTH-LONG HOME MOVIE AND ALL THE CRISES AT THE SAME TIME

MARI MARI NARVÁEZ

I took photos during those months after the hurricane. Trivial photos, not at all artistic, they were not even interesting. I don't really trust my memory, and I knew that in time, all of it would become impossible to reproduce. They weren't pictures of the destruction or the misfortune. No. I took photos of that unedited prostration, its languor, the darkness and thirst, the heat, photos of patience and of restlessness. Even photos of having each other, of the cold baths at any random time, of the budding gentle breeze that at some point started to give us some relief, of the instability and the having no knowledge of anything, I took photos. Of fear. Later on, I no longer took photos of everything that started emerging. I always remember hurricanes as suspended epochs in life, a time of slow and memorable motion, which I know some day, many years later, I will still invoke almost without audio—perhaps just a key word here and there between unedited scenes—like an old home movie that only those who lived at that time insist on watching.

And yet this hurricane has no equivalent in my memory. It's been six months that have felt like six years. I've had electricity since November. These days, when you say that out loud, you're accused of being privileged. There's something there. I digress. I was saying, it's been six months. Another elderly man died in Morovis on the day we reached the half-year anniversary. He needed an artificial respirator, and his community has been "without power since Irma," a phrase that has become the most extreme of phrases, truly abominable.

One of the most intense experiences in the world is to go on with daily life knowing everything that has happened. Knowing that old men and women died of thirst, of hunger, of lack of medical attention in our country because help did not arrive on time. That is unforgivable. Who's going to be held responsible for what happened here? How could this have happened? Are you one of those who blame themselves saying that we've allowed it to happen? Or are you one of those who remind us that we ourselves, that which we call "the citizenry," "the communities," "the people," are the only ones who prevented an even greater hecatomb? Could we really have avoided this disaster? How? Convincing someone of something else? Writing and handing out thousands of flyers? It is true that many more would be dead had it not been for the thousands of people who mobilized here and abroad to help. Yet what about the people who were not dead but were already living very poorly? People whose roofs flew away, but then you get to their house and you know that life there was already bad, that they barely subsisted before. Cities are phenomenal at hiding poverty.

Even those of us who already have electricity are still solving in an everyday manner the effects of this and all future hurricanes. But that's not the point either. I'm trying to say that this old, almost silent, movie does not erase my sensation. There's dizziness, a void that comes back often. I'm frequently taken back to that suspended time, to the laconic episodes, to the slowest disbelief in the universe.

For years I have been writing about how happiness in our country has become more and more a private matter. For years we've been investing in larger terraces, grills, plastic chairs upon plastic chairs, even pools or small plots near the beach or the countryside. But the point is that we invest in all of that in the absence of public investments in collective projects.

And now, the ruins of that country we left outside little by little highlight this private-plot condition of happiness behind closed doors, intimate, in dribs and drabs, which we've been living for years. Our crises (economic, fiscal, political, social), now pushed over the limit by the effects of crass negligence in the face of a climate disaster, are much more monstrous than those terraces and open garages full of plastic chairs we had been building. They've now broken through doors and windows, or filtered through cracks and crevices, but the fact is that they've flooded our chambers. Our crises are terrible, but they suffer from something even worse than their own nature: horrid, violent, subhuman and unsustainable management.

At least for my part, what I thought could never happen has materialized: I spend my time reading articles about how to avoid depression amid everything that's going on (in the world, in the United States, in Puerto Rico). I, who spent my life talking about self-help literature with disdain, now collect these articles, which are valuable in my new consideration.

In order to counter this new prudishness with composure, I've been putting together my own recommendations, which I will share with you only to give this article a tone that is less dismal, a hint of future. I hope you're able to add your own self-protection and fighting strategies for a different present.

- Remember and honor our fighting ancestors. These men and women went through much more than this. Mine I honor every day. Sometimes the situation is so bad that I must honor them every hour, every moment. Part of honoring them is also consoling myself with the idea that they're not here suffering through these dismal times.
- Protect our relationships. The most precious thing we have is our good relationships: love, family, and friends. We must tend to them; give them the time and importance they deserve.
- Organize the anger, pain, and indignation. Let us not act alone. Look for a group or organization to join, even a small one, or create one. Give of your talent and of your discomfort to aid one of the many causes the crises have left behind.
- Puerto Rico today has a long list of real enemies. It's important to be critical among ourselves; but, at this very moment, it is vital to focus and not to waste our energy. We must keep our canons pointed at these enemies, not at friends nor at people who fight, nor at organizations that you might not like or don't consider trustworthy but that are, most definitely, not the enemy.
- It is not time to aim for perfection. It is also not time to vicariously live that project that you always wanted to create and never did, through the meticulous and constant criticism of a similar project. Every group and organization has its own role, its own purpose. We cannot insist on having those roles and positions be the same, nor on certain groups assuming the agendas we think they

should assume. Each one will act according to their agenda, and it will not necessarily match the agenda of others. What's important is to identify sufficiently common ground in these diverse agendas.

- These days I try to have more compassion for those close to me, for my colleagues, for my workmates, and even for people with whom I disagree but whose work is important and deserving of respect. Again, I sometimes fail, but I try to save all my rage and discomfort to attack (in different ways) those who attack the integrity and possibilities of our country.

- Taking social media immersion down two (or ten) notches helps a lot. Again, we must save and focus our energy properly, and social media takes too much of it often without a sufficiently substantial reward.

- We must search for hope wherever it is. There are a myriad of groups and organizations conducting extraordinary endeavors. Let us support them. All gain is good and, if it grows or remains constant, it can be inspirational.

- We have to force ourselves to do the simple things we like and which help us feel better. Exercising, going to the beach, exploring nature, taking a walk to clear your head, hiking up a mountain, reading, having coffee with someone, even taking long baths.

- We must share what we have. There are many people in need. In moments like this, it's good to remember the spider web. What can I do for this person to help them not succumb? I'm not talking of material things. I'm talking about emotional support, medical attention (if you're a doctor or a nurse, for example), keeping someone company, making extra food and sharing it, paying ahead for someone's future coffee if you can. The slogan is don't let us fall. Strengthening ourselves to resist and to transform this reality, even if we have to start from scratch, no longer from the ashes but rather from the rubble.

October 2018

(Reprinted with author's permission. Originally published March 27, 2018 in the newspaper, *Claridad*, as part of its cultural supplement, "*En Rojo*," under the subsection '*Será otra cosa*').

PUTTING AN END TO COLONIALISM

Roberto José Thomas Ramírez

It's not only about putting an end to the damage caused by the master but also about putting an end to slavery. In that sense, I believe it is equally possible to put an end to the colony without putting an end to colonialism.

I'm one of many in Puerto Rico who grew up hearing, while mostly keeping silent, that we were a bunch of good-for-nothing, food stamp dependent, lazy people, and other similar descriptors, presented as evidence of our inferiority, particularly by the middle class. Yet, like many others, I experienced how hard it was to get a job. I also witnessed my mother's trials and tribulations as she practiced alchemy to produce food, utilities, transportation, and a chance for us kids to have fun from time to time. I grew up being advised to avoid the police who violently raided our communities, and I faced the constant ruptures of losing friends.

It seems logical to conclude that if it is the State that makes most of the decisions affecting our lives, then we should direct most of our actions to the State when we are organizing to transform that reality. However, in time one comes to understand that it is not only the State, but that behind it are rich and powerful people and financial interests that control and benefit from all the injustice. Who are these big interests? What do they want?

In search for answers, I started talking with colleagues and friends about the possibility of focusing on community work. I got involved with various efforts and got to know my now comrade, friend, and brother, Nelson Santos Torres. This is how I landed at *IDEBAJO*, Iniciativa de EcoDesarrollo de Bahía de Jobos, or the Initiative for the EcoDevelopment of the Jobos Bay, a regional community-based organization made up of several different organizations in the Southeast of Puerto Rico (particularly Salinas, Guayama and Arroyo), and other local environmental, cultural, and fishing organizations. IDEBAJO aims to provide a space for regional planning and development in order to make endogenous community responses possible to tackle the social, economic, cultural, and political concerns in the area.

Historically, the Southeastern region of Puerto Rico has been subjected to countless injustices. A short ride on Route 3 along the coastal region between Guayama and Salinas reveals evidence of all the financial gambles of the past 150 years. The remains of the sugarcane monoculture with haciendas and centrales are there as well as the lasting effects of its urban, labor and social organization based on class, race, and gender that furthered their interests. Then came the gamble on petrochemicals with the displacement of communities, pollution, and health threats, among other problems. After that, came the pharmaceuticals with the use of aquifers, lands, and a specialized workforce to produce valuable medicines that would be taken out of the country. And, finally, biotechnology, particularly businesses dedicated to experimenting with genetically modified organisms (GMOs), known in the area as 'semilleras' or 'seed companies,' which occupy large portions of the country's best agricultural land to experiment with seeds but not produce food, to exploit aquifers, contaminate the land, and make workers ill. In addition, since the 2000s, the region has also endured the presence of AES Corporation, which, under the pretext of producing cheaper coal-based energy, makes people sick, pollutes the air, land and water along the entire coastal region, and sends its ashes across the country further spreading its contamination.

IDEBAJO is heir to many struggles and organizational processes responding to this long history of exploitation.

Approach, Learning and Development

The final shutdown of the Aguirre Central Sugar Mill in 1990 marked an important moment in IDEBAJO's development. After the mill closed, unemployment rose to more than 40 percent, and prospects for other jobs were dismal. In response, dozens of organizations convened in Salinas to consider approaches for the development of the area that would be defined by and for the residents. It was a call for self-determination, local endogenous development, strengthening regional autonomy in the face of interests and politics that did not respond to local needs. This experience provided learnings and perspectives that IDEBAJO has integrated as principles, values, and into its work agenda. The organization continues to claim the right of excluded communities to transform their reality by moving from protest to the proposal. But not a proposal given by the organization to the State, but rather the development of collective proposals for ourselves, recognizing that the transcendental responses that change history come from the sectors and populations that have experienced the most terrible effects of exploitation and who contribute to generating alternatives that confront and redesign the existing model of dehumanization. It is about building power from below through collective action.

This idea is fundamental and connected to the development of models, capacities, structures, and projects that strengthen community autonomy against the political and economic forces that keep the population in a vicious circle of unfair conditions. It is very complex to change things if the only alternatives of survival are the same ones that generate the reality of poverty, exclusion, diseases, and contamination.

To reconfigure the region into one that fosters another way of living, there must be alternatives other than those that exist. We have to recognize the knowledge and skills of our communities, and accept that just development of our lives is in our hands. That's why we speak of local endogenous development. The process has to be at once as collective, democratic, and decentralized as possible, practicing respect for the autonomy of each initiative but also coordinating with each other.

Present

IDEBAJO has accelerated its work. Hurricane María had some influence on this, but really the most devastating hurricanes had already passed: environmental injustice, poverty, and exclusion. María just knocked down the painted-on storm shutters that hid a painful reality for some. IDEBAJO has resumed and broadened its range of projects, including the following:

- *Contruyendo Solidaridad desde el Amor y la Entrega* (or Building Solidarity from a place of Love and Dedication) seeks to rebuild houses, recovering the historic experience of the project *Ayuda Mutua y Esfuerzo Propio* (or 'Mutual Help and Self Effort'), which constructed many houses thanks to the collective effort of communities that supplied the labor while the State supplied the materials. The project develops experience that strengthens employment opportunities and makes horizontal inter-generational relationships possible.

- *Huertos Caseros Comunitarios* (or 'Community Kitchen Gardens') aims to develop an intercommunity circuit of crop and food exchange that allows fair and healthy access to everyone. Through a mix of hydroponics, banks, farms and fishmongers, the projects enhance the empowerment of communities on the issue of food generation while demonstrating that part of the problem is land grabbing and the disparity in the treatment of farmers.
- *Coquí Solar,* as a regional-scale project, intends to produce a collective community power-generating system through photovoltaic technology on home rooftops. It also has the benefits of creating jobs and moving to clean energy without compromising fertile lands.
- *Environmental interpreter guides and Casa Aguirre* is a sustainable tourism project in which the community manages and carries out tourist activities for its economic benefit taking into consideration the importance and natural beauty of the region. Through collective efforts, the project has managed to certify young people and adults as interpreter guides, generated a series of monthly scheduled tours, and designed a series of lodging projects.
- *Desde el Barrio* ("From the Barrio") radio show. Broadcast by Radio WHOY 1210 in Salinas, it has allowed for exposure and analysis from our communities as part of a larger educational project.
- *Training and continuing education community school.* IDEBAJO has long recognized the need to organize collectively in structures that lead us to change both as individuals and as a community in order to transform power relationships and social dynamics.

We are gradually generating a practice that emerges from everyday work with the aim of providing alternatives. As our colleague Leticia Ramos reminds us, "Social problems call for community responses."

Conclusion

We live a colonial reality that we must overcome. It is necessary to understand the colonial phenomenon from a broader perspective than the political-legal domination between two countries because the relationship is a complex of functions and conceptions that have institutional, spiritual, psychological, and institutional expressions and applications experienced collectively. The issue for Puerto Rico is not only resolving the political-legal relationship with the United States but also engaging strategies that allow us to decolonize ourselves, build relationships, structures, policies, economic, social and cultural organizations that do not reproduce the relationships of domination, objectification, racialization, and discrimination that we've inherited from our history. Ideas that we've been internalizing and practicing for centuries from the viewpoint of what we lack, what we are not, what someone else has that makes them better, more civilized, whiter, more macho, more American, or more developed.

Dealing with the colonial reality is also not about a fight among PNP, PPD, and PIP supporters,[1] but about how we build a horizon of our own life that responds to our historical, geographic, natural, cultural, emotional, psychological, and relational reality that is good for all.

Our efforts toward social transformation go to our humanity, and attending to the historic debt that we've dragged with us and the perverse system that offers privileges to some at the expense of the suffering, disenfranchisement, and dehumanization of others. This work is not carried out from the State, or from the courthouses, or with demonstrations that are not rooted in everyday realities.

It's impossible to carry out transformation using the tools of power that repeat and condone the domination of some by others. We must build collectivity and produce new realities based on our capacities, needs, and aspirations. We will build

---

1. The three major political parties in Puerto Rico: PNP, *Partido Nuevo Progresista* or New Progressive Party, pro-statehood; PPD, *Partido Popular Democrático* or Popular Democratic Party, pro-commonwealth; PIP, *Partido Independentista Puertorriqueño* or Puerto Rican Independentist Party, pro-independence.

from the bottom up, from the most excluded sectors, and generate new power from there. Let us listen and tend to the natural principles that teach us and create a country that works for life, love, and happiness. In this undertaking, we all have tasks and roles to assume and respect, avoiding any approach or action that takes away from the people or replaces the task of building power for the people.

Let us contribute to a Puerto Rico that practices an emancipating power with solidarity and that uses love as an organizing principle, enables happiness, and takes care of life above all things. We know it is possible.

December 2018

MANIFESTO OF
EMERGENCY AND HOPE

Junte Gente

ENOUGH

We are at a crossroads. Puerto Rico is suffering an unprecedented political, economic, environmental, and social emergency. Every day, there are more people who feel the urge to come together, join efforts, and take coordinated action to change the course of our collective lives. Organizations are calling upon those who share the frustration, pain, and anguish caused by the current course of our nation; those who, full of hope, have lovingly undertaken the responsibility of protecting our water, land, air, neighborhoods, communities, schools, homes, and institutions; those who yearn to work for the common good, meeting along the path towards creating a more solidary [supportive], just, and democratic nation we can inhabit in harmony with nature. We call upon all the people who, acknowledging the crisis, have placed their bets on hope.

The gigantic crisis we are facing is not Hurricane María's doing, but the result of decades of erroneous public policies and the acts of corrupt politicians who, instead of using the powers delegated to them to protect the public's wellbeing, have opted to line their pockets—while benefitting their friends and other major financial interests. This history has been characterized by plunder, impunity, and the privatization, abandonment, and mismanagement of the country's public assets and essential services.

In the end, these erroneous policies, corrupt individuals, and overgrown power structures have left us with:

- a health system at the mercy of a small group of private insurers who offer increasingly fewer and poorer services, while strangling doctors, patients, and caretakers;
- a deteriorated and abandoned electricity grid, water supply, and road infrastructure;

- a public education system designed to fail, and which they now want to privatize by closing hundreds of schools, firing thousands of teachers, and transferring public funds to a handful of private corporations;
- a public university marred, trapped, and limited by political partisanship and austerity measures;
- a diminished agriculture industry governed by practices that threaten the soil, water and air, as well as the overall health of agricultural workers and consumers;
- a society incapable of protecting elders from abandonment, women and LGBTTIQ [Lesbian, Gay, Bisexual, Transsexual, Transgender, Intersex and Queer] community members from gender violence, and children from abuse; unable to assist the thousands who have no roof, no food, no income, and no hope;
- a society where the land, the water, the air, and even the sun are at the mercy of questionable private interests.

In addition, they also want to impose further austerity measures, in the interest of an unpayable and unsustainable debt—which has yet to be audited—even though all signs point to it being illegitimate under international law. The US government has appointed a Fiscal "Oversight" Board with enormous powers, obscene salaries, and plagued by conflicts of interest, that does not protect or respond to our public interests. While the wealth we produce is being diverted into the pockets of public officials who earn salaries that have no equal anywhere in the world—as well as the pockets of giant multinationals, Wall Street banks, and vulture funds—the number of poor and unemployed people keeps growing. And just like our wealth is exported, hundreds of thousands of residents have been forced to leave the country.

The ideas of the current government and the Fiscal Control Board are not new. We already know:

- They want to impose more of the same measures that have failed here and in every other country where they have been implemented.
- Reckless privatization of our resources is not the answer. Decades of privatization and unlimited free passes to the private sector have only left us with less job security, lower income, fewer protections, and rights.

- Dismantling public institutions has eliminated the few protections we had, and it disavows the urgency to eradicate inequality in our nation.
- Selling the remaining public institutions and natural resources will make us more vulnerable and leave us totally in the dark as to how the State is using the taxes we pay.
- If we fail to take care of our environment, the environment will not be able to take care of us.

This nefarious path has bequeathed us a society where inequality, contention, and marginalization have replaced solidarity, justice, and democracy. Hurricanes Irma and María intensified our vulnerability to corruption and rampant impunity, but they also opened way for another path that could change our present and future. In the midst of this debacle, we rediscovered that we can save each other. In the depths of the abyss, we have returned to the path of solidarity.

FROM THIS DAY FORWARD

What do we do in light of this scenario?

We rise as a people, not to rebuild the inequitable nation we had before Hurricane María, but to build a truly worthy Puerto Rico where we all belong.

In order to build the nation we aspire to be, we commit to work towards the following living standards:

1. Respect and assurance of human and civil rights;
2. Equity for women that allows their full human development and the construction of social and family relationships of peace and respect;
3. Guaranteed equal essential services for all;
4. A just and ecologically sustainable economic model that:
   o protects natural resources for this and future generations;
   o rejects wealth accumulation by a few at the expense of the impoverishment of the majority and the exploitation of nature;
   o promotes human development and protects workers with fair wages, safe working conditions, and a decent retirement;

- o fosters, supports, and protects local economic activity over foreign interests;
- o guarantees the right to a dignified life with secure housing and healthy nutrition, and promotes health and education;

5. Clean energy based on renewable resources and administrated by the community, in order to gain energetic autonomy;
6. Development of sustainable infrastructure, focused on climate justice and spatial justice;
7. Integrated and sustainable solid waste management governed by the *Basura Cero* principles; agroecology as a model of action and education that:
   - o promotes community participation;
   - o protects free and responsible access to soil, water, and land to attain food sovereignty;
8. A universal health system based on general welfare and justice for all (including the people requiring services, health care professionals, and caregivers), that guarantees personal access to health services and oversees public health and all social aspects affecting health;
9. Universal access to secure, sustainable, and dignified shelter;
10. Universal and free access to primary, secondary, and higher education, which is considered a right and a public benefit;
11. Universal access to recreation and leisure;
12. Decolonization in all its manifestations: political, economic, cultural, social, and ideological.

BEFORE TOMORROW

Junte Gente acknowledges and embraces people working to fulfill community visions that are in line with what we have outlined here. Many people, organizations, collectives, fronts, coalitions, and institutions have spent decades discussing, dreaming, organizing, and acting to build the country we want. We have the desire, the resources, the ideas, and the will. We need coordinated action.

But the disaster capitalist agenda is working against us. If we do not stop the plans of the government, the Board, the bondholders, the vultures, and the ultra-rich puertopians, they will sell and hoard everything within their reach, and we will lose the necessary foundations to have the country we want. This is why, in the face of this emergency, we are calling for hope. We are encouraging all to join efforts and resist, so that we can transform our nation. The time is now.

Since June 2, 2018, we have come together in a permanent assembly to talk about the main issues within a comprehensive vision for our country. Our goal is to join forces now to build the society and nation we deserve. Let's get together!

2018
Translated by Junte Gente

For a list of the organizations that have signed this Manifesto, visit http://juntegente.org/en/manifiesto

FORGIVENESS, PERMISSION

Giovanni Roberto Cáez

In order to move forward with profound changes in Puerto Rico, the popular expression, "better to ask for forgiveness than for permission," will have to take over the entire island. The reality is that it's already doing so in some areas, hand in hand with an emerging radical grassroots movement that threatens to gain strength after Hurricane María.

One of the expressions of this emergence is the Centros de Apoyo Mutuo (CAM), or "Mutual Support Centers," spaces for people to address their needs with the perspective of building new communities. Behind the "mutual support" label is an anti-system stance since in Puerto Rico colonial assistance full of charity has been one of the ideological bases with which the people have been kept down, and the State maintained.

Making use of the perpetual "it's better to ask for forgiveness than for permission," a group of residents of all ages in Las Carolinas, Caguas closed down the María Montañez Gómez Elementary School building in May 2018 and turned it into the Mutual Support Center of Las Carolinas. Also in Caguas, members of the first CAM on the island are quickly repairing old facilities that thirty years ago were the Social Security offices. In Las Marías, another diverse group of residents from the Bucarabones district took over their local school, which was closed fifteen years ago, and turned it, little by little, into a CAM. And in other communities and projects, people are discussing spaces to rescue, schools to open up to fix up or manage in a more independent way.

There's something poetic about the fact that many of the rescued spaces being used to try out the development of a new popular power were once the property of the Commonwealth of Puerto Rico or the US Federal Government. It seems to point out better than anything to the populations that have been marginalized by the organized and consistent abandonment of these governments, the real and moral bankruptcy of these entities under the economic mantle of neoliberalism, that is:

"privatize it all; turn it all into merchandise; sell; accumulate; earn only for yourself."

The renaissance of radical grassroots self-management springing forth after Hurricane María doesn't really ask for forgiveness or permission, especially because it's being done in broad daylight, in open communication with the citizenry, and firmly supported by our diaspora, our exile. The nation lives! This is something we had experienced with the *Comedores Sociales de Puerto Rico* project, or "Puerto Rico Social Cafeterias," for during those four years of running them with difficulties, the University of Puerto Rico (UPR) had asked us for licenses, paperwork, permits...and we had never been able to provide any of that. It's not because of lack of will, honestly, but because we operate with few resources and, as we all know, "those who have most are those who can do."

Without asking for forgiveness or permission, the social cafeterias kept consolidating more and more throughout the UPR through a combination donation model that makes sense for people—materials, work or money—because it solves a basic need for all who arrive at the tables. Now the model is having a new manifestation on the island with the emergence of the community cafeterias.

At some point, Patentes Municipales[1] and Hacienda[2] came into the UPR in Cayey and attempted to fine us. Some time later, at this UPR, a group of campus guards attempted (and failed) to stop a food distribution operation. A few other times on the Río Piedras campus, with threats, memos and notices, some deans and administrative personnel tried to deter the food programs through bureaucracy. Through all these experiences, we strengthened a central argument for what we do: solidarity among people cannot be regulated by the State.

This is why we must insist on a new way of understanding and doing politics in Puerto Rico. A new type of politics, without ever asking for forgiveness or permission from anyone, that listens patiently to the needs of the people, and creatively helps them organize, so that they can develop, and (why not?), into

---

1. Municipal licensing office.
2. Central tax office.; the local IRS.

grassroots self-managed anti-system efforts, for we know all too well that the system in which we live is totally anti-people.

A new kind of politics, which asks neither for forgiveness nor permission, challenges certain sectors of the progressive middle class to step aside and stop trying to represent those at the bottom, speaking for them. That middle class has benefited their entire life from their class position, from their privileges, to convince the poor that without them, we won't be able to defeat our oppressors. Their effort always is to interact with the government, throw stones at politicians, and present themselves as a more viable option than the others. The role of the poor, if any, is to thank them. Fuck that!

A new type of politics, without asking for forgiveness or permission, also challenges the traditional left from which I come, for being anti-system does not always consist of picketing and marching or the democracy of round tables and hands united. The debate of our time is, in some ways, very classic, for it has to do with what our main strategy will be to effect change for the next decade. For this, we must reinvent ourselves and develop a new work method, which to date, in this experiment we call the CDPEC, could be summarized along these lines: listen before all else, work with people's needs, act firmly and through sacrifice, and, of course, ask for neither forgiveness nor permission.

November 26, 2017

VOCES DESDE
PUERTO RICO

POS-HURACÁN MARÍA

POBLACIÓN PUERTORRIQUEÑA

PUERTO RICO

El Censo de los EE.UU. estima que la población de Puerto Rico en 2018 fue de 3.195,153, un 14.3 por ciento menos que el 3.726,157 de 2010.

ESTADOS UNIDOS

En 2016, el número de puertorriqueños que viven en los cincuenta estados de Estados Unidos se estimó en casi 5.5 millones, según el Centro de Estudios Puertorriqueños de Nueva York. No hay cifras oficiales para 2018, pero se espera un aumento sustancial en la población puertorriqueña de EE.UU. debido a la gran migración después del huracán María.

PARTE 1:
EL IMPACTO DEL
HURACÁN MARÍA

"La historia es un profeta que mira hacia atrás; por lo que fue y en contra de lo que fue, anuncia lo que será".

Eduardo Galeano
Venas abiertas de América Latina:
cinco siglos del saqueo de un continente

Paisaje de Puerto Rico después de huracán María

Cortesía: Brigada de Todxs, 2017

MARÍA EN MÍ

Sarah Dalilah Cruz Ortiz

Lazos de viento
que azotan mi cuerpo.
Un frío intenso tocaba mi corazón,
anunciando la llegada del temporal.

Hojas, ramas, techos,
casas, árboles, cruces,
fueron aves borrachas
perdidas entre la pesadumbre.

Estrellas fugaces
chocaban contra mi ventana.
Incomunicada...
pero viviendo con el barrio
una experiencia inolvidable.

Hambre, muertes, miedo, inseguridad...
Ríos que sangraban
entre las montañas rotas.
Y el alba que venía,
nunca llegó.

Y todo pasó en la misma vida...

junio del 2018

MARÍA, LLENA ERES DE DESGRACIA.
CRÓNICA

Ana Teresa Toro

SAN JUAN — ¿Qué más se va a llevar el mar? Algunas respuestas en el diario de una colonizada.

Sábado 23 de septiembre de 2017: *La aparición*

Lo único que quedó fue el inodoro. Como siempre, cuando todo acaba se revela el asco, la tripa. El horror. La imagen pertenece a las montañas del barrio La Sierra en Aibonito. No quedaban techos ni paredes en las casas, los caminos aún estaban obstruidos por árboles, el tendido eléctrico seguía caído y el olor a pollos muertos —producto de la devastación en los ranchos, que ahora eran esqueletos sin techos, de una parte sustancial de la industria avícola nacional— corroboraban lo evidente: este no es el país que creíamos tener. En la montaña, lo que se veía era una hilera de inodoros, sin nada más. Todo quedó expuesto.

El paso de María inició la noche del miércoles 20 de septiembre. Casi 24 horas de lluvias y vientos y furia. Atravesó la isla de Puerto Rico por el mismo centro, de norte a sur y apretando en la entraña. Un ultraje total.

En un país en el que abundan los cultos marianos oficiales y en el que se aparece la virgen constantemente en paredes, troncos de árboles y manchas de plátano o de café, el que un huracán lleve ese nombre explota todos los valores simbólicos imaginables. Ya lo dicen los creyentes: son caminos misteriosos.

Nadie recordó que este día 23 se conmemoraba el Grito de Lares, fracasado intento de independizar a Puerto Rico. Pero qué más da un fracaso histórico cuando días antes el país entero se desmoronó de golpe.

27 de septiembre de 2017: *El shock y la maldita calma*

Llegar a casa, después de días sin saber de nuestra gente. Encontrarlos y abrazarlos como se abraza al que llega de un largo viaje. Sentir que hemos sobrevivido a algo muy duro, porque es la verdad. Alegrarnos de ver, incluso, a quienes no queremos tanto. Llorar porque no es posible reconocer ningún paisaje familiar, porque ya no hay cuerpos físicos para tantas memorias. No saber de tanta gente y, a su vez, tener la certeza de que hay más de cien desaparecidos, de que mientras haces doce horas de fila para comprar gasolina, decenas de pacientes morirán porque los hospitales no tienen diésel y no llegará a tiempo el oxígeno ni podrán hacerse diálisis; van a morir (y murieron) sin siquiera la mísera dignidad de formar parte de una cifra. Saber que hay barrios incomunicados porque todo colapsó. Sentir el abandono del mundo. Temer más a la calma que al viento. Temer que vendan lo que queda del país a precio de pescao abombao, temer que a nadie le importe después que se vayan los periodistas internacionales, temer que, cuando dejen de contarnos, acabemos de existir. A todo esto temo.

Pero esa sensación de asedio y abandono es centenaria. Desde la invasión estadounidense en el 1898, quedó establecido que "la isla fue ocupada por la fuerza, y el pueblo no tiene ninguna voz en la determinación de su propio destino", como señaló el general George Davis, uno de los primeros gobernadores militares de la isla. A finales de 2015, el Tribunal Supremo de Estados Unidos le recordaría a Puerto Rico, por medio de su decisión en el caso *El pueblo v. Sánchez Valle*, que nada ha cambiado. Quedó ratificado que el Estado Libre Asociado, o ELA, de Puerto Rico no tiene soberanía propia para fines de la cláusula constitucional federal contra la doble exposición o juicio por la misma causa en casos criminales. Es decir, que el ELA y Estados Unidos no son soberanos independientes; eso significa que los gobiernos no pueden procesar a alguien en dos distintos casos por el mismo delito. Muerta la ilusión de frágil soberanía. La colonia, sin más.

A esto debe añadirse la negativa del Congreso de Estados Unidos de permitir un proyecto local de bancarrota, impidiendo al país declararse en quiebra y dejándolo sujeto a la imposición de una Junta de Control Fiscal, bajo el incómodo marco de la llamada ley Promesa.[1] A ello, sumemos la nueva ola de migración masiva provocada por la crisis fiscal.

---

1. La Junta de Supervisión Fiscal para Puerto Rico fue creada bajo el Puerto Rico Oversight, Management and Economic Stability Act de 2016 (PROMESA).

En medio de ese largo asedio, de esa condición difusa de país —que lo es porque es nación, pero que no puede serlo porque no es estado—, María nos vino a ver.

30 de septiembre de 2017: *Filas sin magia*

Día diez. Ya somos expertos en la fila de la gasolina y la del hielo. Prefiero la segunda. Horas para comprar el prodigio helado que se derretirá en menos del tiempo que toma llegar a él. Conocer el hielo siempre será la gran cosa, símbolo del Caribe.

Vale la pena esperar por el hielo, del mismo modo en que vale la pena vivir: tienes la certeza que vas a morir, pero vale la pena helarse para derretirse aunque después se derrita. Gabriel García Márquez, en *Cien años de soledad*, lo sabía. Después de todo, siempre fue más realismo que magia.

Lo que pasa es que aquí hay diabéticos que van a morir por no poder mantener fría su insulina.

1 de octubre de 2017: *Un nuevo calendario*

María nos ha legado un calendario del *shock*: desde el 20 de septiembre comenzó un tiempo nuevo. Contamos los días sin saber de nuestros familiares, sin agua potable, sin electricidad, sin cobrar, las 5,000 despedidas semanales de hermanos que se van y que probablemente no regresarán. Contamos los días desde que nada funciona, desde que nos machacan a diario con la campaña "Puerto Rico se levanta" pero en que lo único que nos levanta son los mosquitos y el calor, al igual que la ansiedad de no saber si volveremos a casa. No nos fuimos de casa, la casa se nos fue. Así, literalmente, para tantos sin techo y metafóricamente para el resto.

Es muy duro volver a casa cuando esa casa se muestra tal cual es.

3 de octubre de 2017: *La visita*

Al colonizado se le escupe y agradece el gesto. Vicios de construcción, le dicen. La visita del innombrable presidente estadounidense fue una oportunidad más para entender que los desastres son naturales, pero la respuesta a ellos es política. Lo que sucede es que al colonizado se le enseña a no politizar. Después de todo, ¿para qué hablar de poder si no se tiene ninguno?

Conocí políticos estadounidenses que, cándidamente, me dijeron en señal de empatía: *"Don't you worry. We're gonna push for statehood."* ["No te preocupes, vamos a presionar a favor de la estadidad"]. Les sonreí. No tienen idea. No se les ocurre que exista el deseo de elegir nuestro destino. En la actualidad, la estadidad es una opción que puede alcanzar mayoría, pero por más de cien años no ha sido así. Al colonizado se le mira desde la infancia de su ser político y aquí estamos otra vez, queriendo un puesto igual de negociación en la mesa y recibiendo como dádiva un rollo de papel secante. Quien no lo agradezca será un paria en su propia tierra. Para muestra, la alcaldesa.

Han pasado más de cincuenta días desde que pasó el huracán y aún más de la mitad de la isla no tiene electricidad. Los que sí, la tienen de manera intermitente; no puedo imaginarme un suburbio estadounidense sin electricidad por cincuenta días. El jueves, quienes la habían recuperado volvieron a perderla en otro apagón general. Aún hay desaparecidos y la ambigüedad respecto a la cifra de muertos no se aclara. Nadie acepta lo evidente. Son demasiados y muchos pudieron haberse salvado. El 25 por ciento de la población sigue sin agua potable y florecen las epidemias porque vivimos entre escombros y basura acumulada.

Entonces en el debate público se insiste en la eterna comparación que nos quiere poner a antagonizar con Cuba, pero no se logra. Por un lado, la izquierda celebra la eficiencia de la recuperación cubana tras el paso del huracán Irma y por el otro, la derecha advierte que la escasez que experimentamos es lo que se vivirá si la isla se independiza. Pero nuestra relación con los cubanos es como la de un par de primos que por líos familiares no han podido crecer juntos y cada vez que se reencuentran lo agarran donde lo dejaron. Somos familia y, a su vez, un espejo de la imagen distorsionada del Caribe, esa gran placa de Petri de los proyectos políticos. De ser la isla del encanto, llena de dólares y progreso —la contraparte perfecta del proyecto cubano— ahora somos la isla quebrada que vive su éxodo. Después de todo, del paraíso, lo único que hay que hacer es huir.

19 de octubre de 2017: *El primer meme*

Parece que ya podemos empezar a reírnos —con timidez y algo de vergüenza— de lo que nos pasó. Hoy me reí de un meme que advierte que este año, en el pesebre navideño, José será padre soltero. María está castigada. Se lo cuento a mi mamá y se pone seria, triste. Olvidé que es el mes del rosario y ella es católica. Luego me cuenta un amigo que en su condominio, legiones de mujeres van en procesión de pasillo en pasillo rezando los rosarios a la Virgen María. La devoción intacta. Tengo en casa el rosario de mi abuela y lo he colocado en la mesita de noche. Ya he conocido el rostro de María. Es aterrador.

5 de noviembre de 2017: *Tiburones y peces blancos*

Ricardo Ramos, el director de la Autoridad de Energía Eléctrica no acudió a declarar ante la comisión legislativa que se ocupa de los asuntos de Puerto Rico. Debía explicar bajo qué criterios firmó un contrato por 300 millones de dólares para restablecer el sistema eléctrico con Whitefish, una firma desconocida, que al momento de ser contratada tenía sólo dos empleados a tiempo completo. Ha sido largo el desfile: por un lado, nuestro gobernador, en un fallido intento de diplomacia y servilismo, bajó la cabeza y le otorgó un "10" al *President* Trump por su atropellada labor, y ha recibido como recompensa la humillación de un préstamo a un país quebrado. Por el otro, Ramos, jaquetón, ahora se esconde y calla los cuestionamientos válidos a sus ineficientes gestiones. Ninguno de los dos ganará nada para el país.

11 de noviembre de 2017: *La revelación de María*

Puerto Rico saldrá de este escenario únicamente como puede hacerlo: con una economía y una población muy reducidas y con las entrañas expuestas, inodoro al aire. Esa era la gran revelación que nos trajo María: por fin sabemos qué país teníamos, una colonia pobre que por más de sesenta años vivió un espejismo.

junio de 2018

(Publicado con permiso de la autora.
Publicado en la edición del 12 de noviembre de 2017 de
The New York Times en español bajo el título
"María nos reveló una isla literalmente a la deriva".)

BAJO EL OJO CIEGO

José Ernesto Delgado Hernández

Bajo el ojo ciego de estos días
carcomidos por hambre y sed
cualquier madre querría
poder llorar leche
para así amamantar las miradas
que van silenciándose por la inercia
y la muerte atravesada
que ha dejado María.

Sobre estas tierras azotadas
hay un padre abriendo paso
a machete y rabia
porque uno de sus hijos
ha sido víctima del destierro de la luz
y sus máquinas ya no bombean aire
y solo un gramo de asfixia
podría adelantar lo temido...

Ayer nos dijeron que la supresión
rondaba por nuestras vidas
vestida de desechos de ratas,
que un foco de infecciones
llegaba en clandestinaje
para abatir la inestable salud
que nos queda guardada
junto a la última lata de salchichas.

Hoy la lluvia llegó como una plaga
a inundar las calles y las esperanzas
y pareciera que nos traga el agua
cuando más tenemos sed
y que la comida juega al esconder
con el hambre, cuando una madre
acuesta a su hija y solo el llanto
queda como único alimento antes de dormir.

2017

CRÓNICAS HURACANADAS

Alberto Martínez-Márquez

1.
tanto abrazar
la luz
para ahogarme
de sombra

2.
la gente
era pérfida
vino el huracán
y
se tornaron amables
pasaron los meses
llegó
eso que llaman
normalización
la perfidia
se normalizó
(esta vez
con una venganza)

3.
maría no es huracán
sino huracana
yo pienso
que duele igual

4.
en los días
que siguieron
al huracán
nunca faltó
la cerveza

tampoco
la incertidumbre

5.
fue
un 20 de septiembre
el día en que
mi rostro
en fuga
escapó
del sueño

6.
el huracán borró
los caminos
de igual modo
todos los nombres
dejaron de existir

7.
allá
en las distancia
las montañas
y las costas
se llenaban
de cadáveres
de hombres
mujeres
niños
ancianos

sentí el estertor
de dios
sobre
mis sienes

entonces
me llené
de una
inmensa angustia
porque supe
que mañana
nunca fue
otro día

8.
luego del huracán
dios dijo
deshágase la luz
el agua
el celular
el cable
la internet
y algunos artículos
de primera necesidad

vio que el panorama
era absolutamente desolador
y rió a quijada batiente

después se fue
a descansar
para que todos
termináramos de perecer
hasta la próxima catástrofe

8 de junio de 2018

POS-HURACÁN MARÍA

Maite Ramos Ortiz

Todas las mañanas
me levanto sin alarma.
Verifico si todavía hay agua.
En una tetera vieja,
caliento agua para el baño,
la vierto en una palangana
y la atempero con agua fría.
Mojo el cuerpo con un vaso,
un vaso que nunca es suficiente.
Cuando termino, me seco,
me cepillo los dientes,
me peino y me visto,
en completa oscuridad.

Todas las mañanas
salgo a comprar hielo
y el desayuno también,
con el miedo de perder la vida
en alguna intersección.

Todas las mañanas
regreso a enfriar agua
en una nevera de playa
que no ha salido de la casa.
Me como el desayuno.

Enciendo la estufa de gas,
caliento más agua en la tetera
y me preparo un té.

Todas las mañanas
salgo al balcón
con un libro aleatorio
y mi taza de té.
Y me siento a esperar
si ese día, por fin,
regresa la electricidad.

enero del 2018

Mural en Viejo San Juan, 2018

NOTAS DEL DESTIERRO

JOSÉ (PEPE) ORRACA-BRANDENBERGER

Varias meditaciones breves publicados en mi página de Facebook los meses de octubre y noviembre de 2017.

Nota 1. Pensé, por unos días, que me había visto obligado a exilarme gracias a María. Ahora que llevo más de dos semanas viviendo fuera me doy cuenta que no estoy exilado, estoy desterrado. Podemos decir que la movida la provocó María, y que escapé de la incomodidad del calor (falta de aire), los mosquitos y el agua podrida, con la intención de regresar lo más pronto posible. Pero es destierro porque no sé cuándo, ni cómo voy a poder regresar.

Nota 2. Como todo aquél que ha sido desterrado, ávidamente busco reportajes en la prensa, la tele y Facebook sobre la situación. Enseguida empecé a descubrir un distanciamiento creciente, a diario, entre los informes oficiales estadísticamente optimistas y los reportajes de los medios en inglés. *El Nuevo Día* publicaba los informes oficiales, y la gente de Facebook evidenciaban la narrativa de destrucción apocalíptica que encontraba publicado en el *New York Times*, CNN, NBC, CBS, y ABC. Como dice el refrán, a la larga todo se sabe.

Nota 3. Darnos cuenta, oficialmente, de que el cielo no se puede tapar con la mano: después de mucho porcentaje descriptivo de los éxitos alcanzados, pudimos escuchar al gobernador repetir frente al POTUS, frente a congresistas, a la prensa, en inglés y español, "falta mucho por arreglar". Su solicitud de ser tratados como iguales (ciudadanos) parece reafirmar lo que han dicho por décadas: que nuestra ciudadanía es de segunda clase. La repetida amenaza del POTUS de retirar a los federales que auxilian a la Isla, contrario a la ayuda sin fin para los estados federados, le pone punto final al debate.

¡Sí! Nuestra ciudadanía atosigada en el 1917 es de segunda clase.[1]

Nota 4. Se alega que nuestra ciudadanía se transforma en una de primera clase al tocar terra firme en USA. No pienso ponerlo a prueba, por ahora, no vaya a ser otra mentira de nuestros políticos. Por ahora, en lo que esperamos la resurrección de la Isla, voy a seguir explorando mi vecindario. Ya me tropecé con la afamada Marketa. Realmente maravilla encontrar una plaza del mercado en medio de Manhattan. No sólo venden viandas (yautía, ñame, yuca) tienen bacalao sala'o, reca'o y muchos de los ingredientes fundamentales para nuestro gusto culinario. (Advertencia: no es exclusivo para hispanos.) Visité el Oculos y la fuente conmemorativa del ataque del 11 de septiembre. ¡Impactante! El primero por lo inmenso del espacio. Y en el segundo la sobriedad arquitectónica de la fuente parece hacer eco del dolor que tantos sufrieron. Una pequeña flor pegada al nombre de uno de los tantísimos difuntos nos hace recordar que el 9/11 no fue un evento abstracto/político sino uno vivido en carne propia.

Nota 5. Quinientos años de colonia engendraron en nuestra isla (por obligación) una economía clandestina, y como tal, ilegal. Los que vivimos en la Isla hemos visto cómo esa economía de piratas y corsarios ha progresado hasta emparejarse con la economía legal a la vez que formenta la corrupción oficialista. Hoy salió en las primeras planas de los medios de Estados Unidos la sospechosa contratación de una empresa fantasma para resolver lo que ni la AEE ni el gobierno de Puerto Rico (conocido como el ELA) han podido. En las novelas detectivescas, cuando hay alguna duda, el protagonista siempre se pregunta: ¿Quién se beneficia de esa acción furtiva?

Es más fácil determinar quién no se beneficia. Ni la UTICE, ni la UTIER, ni los empleados de la AEE, ni los bonistas a quienes se les debe millones, tienen la posibilidad de buscarse con esto unos pesitos por el lado. Argumentar que los abonados

---

1. Referencia a la Ley Jones de 1917 que colectivamente naturalizó a los puertorriqueños como ciudadanos estadounidenses.

(víctimas) se van a beneficiar a la larga con ese contrato es como decir que lo bueno que trajo María es la oportunidad de renovar toda la infraestructura deteriorada por la negligencia de las pasadas administraciones. A. Conan Doyle, en boca de su personaje Sherlock Holmes argumentó que "cuando se elimina lo imposible, lo que queda no importa cuán improbable, tiene que ser la verdad."

Nota 6. El que se "eñangota" no se puede quejar cuando le pasan el rolo por encima. Retar la autoridad de la Junta Fiscal es retar la autoridad del Congreso de Estados Unidos. Por si alguien no recuerda: el Congreso es el dueño de nuestra isla. Fue por su voluntad, y no la no la nuestra, que se nos impuso la ciudadanía y se nos dio permiso para elegir gobierno propio y administrar nuestros bienes, siempre y cuando sea cónsono con la visión americana de la vida; en inglés: *American Way of Life*.

Pretender que la UITICE o la UTIER, vilipendiados públicamente por todos los gobiernos coloniales, sean los que se rebelen contra la autoridad de la Junta Fiscal y su agente (o capataz), es pedirle peras al olmo. Por más de una década los directivos de esas uniones llevan advirtiendo la condición extremadamente deteriorada del sistema debido al constante mal manejo de los fondos de la AEE, por no decir corrupción.

Ahora el gobierno PNP alega que su autoridad supera la de la Junta Fiscal, basándose en una constitución que por años han declarado inválida. Pero la pregunta fundamental es, ¿qué pretenden defender? ¿La autonomía del ELA? ¿O a los corruptos políticos de turno? Se hace obvio que no es a los puertorriqueños a los que pretenden defender.

Nota 7. Queriendo hacer más, terminan haciendo menos. Si existió la intención de impresionar a los políticos norte-americanos (y a los asimilistas locales) con un gobierno capaz, con integridad y transparencia, comprometidos con el bienestar y desarrollo de nuestra nación, realmente han logrado lo contrario. Las denuncias fatuas contra figuras de la oposición partidista junto a los anuncios estadísticos oficiales que a diario describe *El Nuevo Día*, un pobre periódico, confirma lo que para muchos era obvio: la incapacidad del gobierno para gobernar. La Junta Fiscal en su imposición unilateral sobre la administración de la AEE y la defensa artificiosa de la autonomía del ELA deja ver con demasiada claridad la inmoralidad institucional de nuestros gobiernos, pasados y presentes.

En fin, queriendo degradar a Carmen Yulín, han logrado elevar a la Alcaldesa de San Juan —que hasta este momento era totalmente desconocida en la USA— a la de una figura heroica, caminado en la oscuridad con el agua hasta el cuello dirigiendo el rescate de comunidades impactadas. Y con el empeño de aparentar ser más expedito que el mismo Santo con el perverso contrato de Whitefish se reafirma la opinión de muchos políticos en Estados Unidos de que la criminalidad y corrupción en la Isla es endémica al carácter de los puertorriqueños. *"That's the culture!"* ¡Qué honda pena me da!

Nota 8. No sé si es añoranza por la isla amada, pero aquí en la lejanía siento que la sal no sazona, la azúcar no endulza y el agua no quita la sed. Ni hablar del café. Tropecé, ahora en la mañana en WAPA América, con una explicación sobre el toque de queda de esta noche de brujas. El oficial entrevistado le acredita las instrucciones al gobernador. El toque de queda va a ser desde 10 p.m. hasta las 5 a.m. Siempre y cuando el lugar público (digamos la barra del barrio) no esté transmitiendo el juego de la serie mundial o los grupos que deambulen por las calles sean de familias (preferiblemente con niños), en cuyo caso no aplica el toque de queda. O sea es como imponer una ley 'medio' seca. A veces aplica y a veces no, según le parezca al policía de turno. Honestamente Cantinflas no lo hubiera dicho mejor.

Nota 9. Lo qué el viento se llevó... Sabemos que el agua, la luz y la vergüenza de nuestros gobernantes, se fueron con María. Tampoco hace falta salir a buscarlos porque a la larga, más tarde que temprano, la energía eléctrica va a regresar trayendo el agua con ella. Y la vergüenza de la casta política no volverá, si es que la tuvieron alguna vez. Lo que vale la pena salir a buscar son las voces ausentes de los partidos PIP y PPD. ¿Será que la realidad colonial se les atascó en la garganta? ¿O será que sus propuestas de liderato y su compromiso para hacer crecer el país era todo en teoría? ¿Es que han sido sólo alborotos de cafetín? Y finalmente, ¿qué pasó con la directora de medios sociales de Whitefish, Lynn Ponder? ¿También se la llevó el viento?

Nota 10. "Para el 30 de octubre la Autoridad y el Cuerpo de Ingenieros deben restablecer el servicio a un 30% de los clientes; para el 15 de noviembre un 50%; para el 1 de diciembre un 80%; y para el 15 de diciembre un 95%. Estamos hablando de clientes servidos y no de generación, para que nuestro pueblo pueda tener métricas claras y establecidas", expresó el primer ejecutivo y así consta en un comunicado de prensa divulgado por La Fortaleza.

Ahora, sin embargo, la AEE y el Ejecutivo se refieren a porcentaje de generación. Ramos justificó ese mecanismo indicando que, al momento, no tiene suficiente generación para poder medir el cambio a clientes de la AEE. "Sobre el 95%, en este momento, esa la métrica más certera porque nuestro sistema de distribución, inclusive el de subtransmisión se están reconstruyendo no igual a lo que era antes", dijo Ramos. "En este momento sería completamente incierto", agregó sobre la conversión a abonados de la AEE.

Por mi madre que no me lo estoy inventando. Cito a *El Nuevo Día* (02/11/2017). ¿O sería Los Tres Chiflados?

Nota 11. Mientras más tiempo paso acá en la lejanía más me llaman la atención los contrastes entre el terruño y la gran metrópolis. No me refiero a lo obvio, como los edificios monumentales, la inmensa población y el bullicio de la calle. Ni obviamente el frío que asecha más cada día. Me refiero a las cosas pequeñas, como la prontitud de la guagua, la presión del agua y la absoluta confianza en que las cosas funcionan.

¿Y ahora? ¿Qué hacemos?

LECCIONES LUMÍNICAS DE LIBERACIÓN

Yasmín Hernández

Esperamos el Año Nuevo en la terraza, que en Moca se recibía con un alboroto de fuegos artificiales. Estábamos sentados en la oscuridad, con los nenes soñolientos hipnotizados por una linterna solar. Cuando empezaron los fuegos artificiales, fue una experiencia totalmente distinta a lo visto desde haber rematriado de Brooklyn a Borikén hace cuatro años. Cada explosión en el valle y en los montes de Jaicoa era un testimonio declarado en luz: otra familia presente; otra familia que había aguantado la tormenta; otra familia que no se había ido; otra familia más, manifestándose en luz a través de la oscuridad. Le dimos la despedida colectivamente a un año oscuro en otro capítulo de un colonialismo que parecía ser interminable.

En vez de enviar señales de humo de un lado del valle al otro, nos comunicábamos en luz como las luciérnagas, o los cocuyos, radiando sus lucecitas verdes por la oscuridad según yo iba con el teléfono en el aire, buscando señal para poder llamar a mi mamá al otro lado del charco. Pero la tierra nunca estaba oscura. Es que nos habíamos quedado ciegos con la sobreabundancia de lámparas instaladas por este archipiélago convertido en colonia. En las imágenes en satélite lucíamos como un árbol navideño colonial, prendidos para convencernos que el colonialismo estadounidense nos hacía brillar más que a nuestras islas vecinas. Una fantasía que el huracán se encargó de borrar.

La oscuridad después de María, agravada por el colonialismo, trajo consigo muchas lecciones. Lecciones como saber que llego a un promedio de treinta prendas de ropa en una sola tanda lavada a mano con agua de lluvia. Lecciones como saber que si me siento frente al lienzo a tratar de pintar después, me tiemblan las manos. Me tiemblan los brazos de tanto cargar cubos de agua y de exprimir mahones, toallas y sábanas a mano. Aprendí que las manos de nuestros ancestros eran fuerzas de la naturaleza.

Tras casi cinco meses de oscuridad en casa, tuvimos que reacostumbrarnos a usar la luz. Encontrábamos a los nenes jugando por la madrugada, antes que saliera el sol, alumbrando las casitas de Legos con linternas solares. La luz del cuarto parecía demasiado fuerte, así que yo seguía entrando cada noche con una linterna en mano. Pasó un mes antes de que dejáramos de usar el baño de arriba con linterna y asimilar que sí había luz. La oscuridad enseña lo que nos había olvidado: nuestros saberes ancestrales. Nos revela un ingenio y una creatividad que despiertan la confianza latente en uno mismo. Nos revela a Venus, Marte, Júpiter y Saturno, que se ven a simple vista brillando en los cielos. Cada uno es un testigo a las formas en que vamos drásticamente cambiando al planeta. La oscuridad nos enseña a manifestar e irradiar luz y a comunicarnos a través de ella, como vimos en esa despedida de año.

Habiendo aceptado la invitación a exponer del artista/ poeta/ ex-prisionero político Elizam Escobar, llegué al Viejo San Juan para hacer entrega de mi cuadro *Hermandad Bio-luminiscente*. En este retrato de nuestra querida poeta Julia de Burgos y su hermana Consuelo, las pinté iluminadas de la luz azul que vi en la famosa bahía bioluminiscente de Bieké. Son muy pocas las veces que hago el viaje de dos horas y pico de Moca a San Juan, queriendo dejar atrás esos largos viajes al trabajo como hacía cada día en Nueva York. Sus aguas no brillan, pero el Viejo San Juan se revela más y más como un portal energético. La muralla del fuerte latente con vibraciones ancestrales, tanto pesadas   como impulsoras. Allí al pie de esos mares tormentosos que nos separan del otro colonizador, resurgen los traumas heredados de generaciones.

Las hermanas kármicas, Irma y María, llegaron en proporciones mitológicas, lanzando alegorías y tragedias a cada rincón de este Caribe aún conquistado. En la Casa de los Contrafuertes, subí a la exposición *Haití aquí*, pensando en Betances, el Antillano, que amaba a esta hermana matria. Al entrar a la sala, me recibieron las lucecitas parpadeantes de banderas de vudú, rebotando en lentejuelas de colores que coqueteaban con los rayos del sol que entraban por los arcos de las ventanas coloniales. Me llamó la atención una foto de un rostro negro asomándose por un mar de un azul sumamente plácido y tranquilizante. Lucía ser un homenaje a Yemaya[1]. Acercándome más, me di cuenta de que lo azul era un toldo —el

---

1. Yemaya es la diosa Yorùbá del océano.

toldo que se usa para impermeabilizar carpas que sirven de residencias temporeras tras el terremoto. Los toldos azul sobre nuestros techos que todavía dominan el paisaje. Yo aquí rehusándome a asimilar la cifra de 4,695 muertos hasta investigar el numero de muertos reportados por el terremoto en Haití y esta galería dándole una forma visual al fenómeno. Las muertes a raíz de desastres climáticos sobrepasan infinitamente las muertes del 11 de septiembre de 2001. A los neoyorquinos, incluyéndome a mí misma, jamás se nos ocurriría minimizar ni trivializar ni pasar por alto las pérdidas acontecidas aquel día en las torres gemelas. No obstante, los Estados Unidos ignora al inmenso número de vidas de gente de color que hemos perdido a tsunamis, volcanes, terremotos y huracanes. La muerte, como los huracanes, no discrimina. No se puede enfatizar ni dar más valor a una vida que a otra. El cambio climático, como el constante colonialismo, nos afecta a todos.

En el patio interior, el espíritu de mi abuelo baila por mis cesos. Me guía de mata en mata, en plena cosecha pos-María: poleo, albahaca, tabaco, orégano brujo, noni, tártago, maíz, lavanda, recao, parcha, menta. Cada mata emanando su magia y sus secretos sanativos por toda la atmósfera. Elizam Escobar también se encuentra en el espacio y hablamos de la liberación, no sólo como teoría sino praxis. Él habla de behiques taínos y se refiere a los artistas como chamanes. Para mí, nuestros libertadores son chamanes cambiaformas. ¿De qué otra manera podrían sobrevivir décadas de cárcel y aguantar tortura y privación sensorial? ¿Cómo no se les endurece el corazón? ¿Cómo es posible que todavía nos reciban con cariño? ¿Cómo es posible que, más allá de sobrevivir, sean capaces de hasta prosperar?

A fin de justificar la colonización y esclavitud de nuestra gente, el colonizador llegó a utilizar el miedo como herramienta —el miedo a todo lo que representamos y la magia de la cual surgimos— Magia como tener varias bahías de agua que brilla. Fueron ellos quienes le tenían miedo y quienes nos enseñaron a tenerle miedo también. Los sistemas de colonialismo perpetuo funcionan a base de miedos impuestos. Los huracanes inspiran terror por mérito propio. Mi cuerpo aguantó treinta horas de un miedo que revuelve el estómago, durante el paso lento de aquella fuerza destructiva que fue María. Tras su paso completo pude percibir una energía malévola, siniestra. Los religiosos decían que había sido un castigo. Y otros decían que era una venganza de la madre tierra por el largo historial de abusos y negligencia humana. Pero según nuestros ancestros, un huracán era un evento asombroso, proveniente de los dioses, desde la revolucionaria orisha yoruba, Oyá, a la brava cemí taíno, Guabancex. Las fuerzas de la naturaleza nos enseñan como vivir en armonía con la tierra. Aunque muchos nos creemos estar sin poder, los chamanes mensajeros de estas tierras nos enseñan que ya somos libres.

A nosotros nos adoctrinan en las escuelas de esta opresión; luego trabajamos en puestos que repiten los sistemas opresivos y abusadores. Construimos estrategias de defensa bajo un constante estado de amenaza, insistiendo en estructuras arraigadas en la adquisición de un falso poder sobre nuestros compañeros y nuestros seres queridos, a quienes convertimos en subordinados. Somos demasiados los que repetimos estas estructuras en espacios del movimiento. Espacios a los que invitamos a la colaboración y luego sometemos nuestros colaborades a la vergüenza, condescendencia y maltrato laboral, haciéndoles sentir aún más traicionados, violados e inseguro. Según seguimos fallando en movilizar a las masas, las vamos empujando a que vayan como rebaño a las iglesias y en busca de doctrinas y dogmas que les den algo en qué creer, que les enseñen a no cuestionar nada, a aceptar todo y simplemente esperar la recompensa en el cielo. Pero el cielo se encuentra en el terruño de mis ancestros, donde me indicaron que fuera a la bahía bioluminiscente de Vieques cuando hubiera luna nueva. Allí observe el horizonte deshacerse en la oscuridad donde las aguas se confunden con el cosmos. Las estrellas, los dinoflagelados iluminados, son uno. Nosotros, los rematriados, viajeros, la diáspora, los navegantes de las islas, los seres "intercharcarios", somos cambiaformas, manifestantes de la luz, que sabemos levantarnos en un azul brillante estilo dinoflagelados bioluminiscentes por un lado y estilo estrellas por el otro. Los astros y los mares se convierten en uno solo en nuestras islas ancestrales. Nosotros todos, dados a luz por el agua salada y la oscuridad, en agradecimiento a toda madre, tenemos que dar a luz nuestra luz propia.

En una estadía reciente en Guavate, las ventanas abiertas a la selva continua de la cordillera. Alguien le había subido el volumen a la cacofonía nocturna de nuestros montes mocanos. Me desperté a media noche, en una oscuridad absoluta. Con la vista borrosa sin los lentes de contacto, quedé cautiva al ver una esfera de luz verde flotando hacia mí. Creí que me visitaba un espíritu o un hada ondeante. Cruzó de un lado a otro el techo y se paró. Inmóvil. Pude percibir que sus luces alternaban rápidamente, primero la cabeza, luego el rabo y luego la cabeza otra vez. Era un cucubano, otro chamán, una especie endémica de elatérido, no una luciérnaga cualquiera con solo el rabo iluminado. Esta especie utiliza esa luz a repeler enemigos, pero tambíen lleva otras luces cerca de la cabeza que alumbran para atrae parejas. Sus luces les sirven de herramientas y de comunicación.

Estas tierras nunca fueron oscuras, sino repletas de criaturas que se manifiestan en la luz que ellas mismas irradian; tres bahías de bioluminiscencia mágica, en cuyas aguas los peces dejan estelas de luz sobre las olas. La oscuridad nos rodea una vez más para que recordemos. Las islas nos imploran que volvamos a irradiar luz-amor liberadora desde nuestras entrañas. Basta ya con regalar al conquistador, al imperio, nuestra preciosa energía, sabiduría, nuestras destrezas, talentos, nuestros cuerpos. Nos llaman a proteger todo lo nuestro, a irradiar lo que llevamos por dentro, para poder alcanzar nuestra propia liberación, una liberación colectiva. Es hora de bregar, de pensar, de tomar acción desde este espacio de luz interno, una luz ancestral/ espiritual que es estratégicamente invisible al enemigo. Como el cucubano, tenemos que saber cuales luces encender, para quién y cuándo.

Recuerdo mi primera visita a Vieques como adulta. Néstor Guishard nos monta a todos en varios kayaks y vamos bahía adentro entre la bioluminiscencia que ya decora las remas con perlas de luz. Íbamos casi a medianoche en luna nueva, rumbo a una oscuridad sin horizonte. No fue la primera vez, ni la última, en que sentí miedo y con todo y eso seguí adelante. Hice lo que nunca he hecho, tírame al mar sabiendo que habrá una distancia entre mis pies y el fondo. Acompañada y con chaleco, sentí no tanto una confianza sino entendí que era un mandato de mi madre Yemaya.

Nestor nos pidió que entrelazáramos los brazos, creando un círculo. Y cuando nos dio la señal, pataleamos todos al unísono.

Desde el centro de nuestro circulo vimos la manifestación de una luz azul celeste que me dejó sin respiración. En ese momento me sentí menos materia y más como espíritu potente.

La bioluminiscencia es "la producción y emisión de luz por parte de un organismo vivo". En una página web del Smithsonian se recalca que "ya que las profundidades oceánicas son tan inmensas, ¡la bioluminiscencia podría ser la forma de comunicación más común del planeta!" ¿Cómo podemos nosotros tomar acceso energético al lenguaje de la luz, esa luz trascendente añejada por la oscuridad, donde yace la sabiduría ancestral? Si escuchamos, la tierra y el mar nos guían, nos transforman en mejores magos y magas, curanderos y curanderas, chamanes: seres de luz, liberados.

el 12 de julio de 2018

PARTE 2:
EL PUEBLO SE
MOVILIZA Y ORGANIZA

"Las grandes transformaciones no comienzan desde arriba ni con hechos monumentales y épicos, sino con movimientos pequeños en tamaño y que parecen irrelevantes para políticos y analistas desde arriba. La historia no es transformada por plazas abarrotados o multitudes enfurecidas, pero, como señala Carlos Aguirre Rojas, por la conciencia organizada de grupos y colectivos que se conocen y reconocen, abajo y a la izquierda, y construyen otra política".

Subcomandante insurgente Marcos
San Cristóbal de las Casas, Chiapas, México

*La furia digna de los zapatistas: Discursos públicos finales
del subcomandante Marcos*
(2018)

MARÍA NO SABÍA
QUE SOMOS POBRES

José Ernesto Delgado Hernández

María no sabía que somos pobres,
que sobre nuestras espaldas
llevamos una deuda injusta,
que hemos sido traicionados
por los hermanos,
los mismos que han servido al país
como carroña para los buitres
de Wall Street...

Ella era ajena a los alacranes
que habitan estos bolsillos de arena.
Desconocía que los libros
de los niños y niñas habían sido enmudecidos
por los mercaderes
de la Fortaleza y el Capitolio,
cuando un enjambre de escuelas
fueron clausuradas
como quien cierra las puertas del futuro.

María ignoraba las falsas promesas
con que nos han gobernado,
también la austeridad
a la que han sometido
a nuestras madres y abuelas
y la emigración masiva
de mano de obra hacia el norte...

entonces pasó de madrugada
para que no viéramos su vergüenza
de abatir un país encarecido
por los blancos cuellos
que habitan una milla dorada.[1]

Ahora un ejército de
esqueletos de madera,
encabronados desde sus raíces
por la tormenta del bloqueo y la colonia,
se erigen en resistencia
ante la nueva invasión.

El agua es sospechosa
de acarrear veneno.
La comida escasea en nuestras mesas,
como la libertad en nuestro cielo.
Las calles son vertederos
de penas, basura e inercia.
Mientras, un personaje de Walt Disney
visita una zona que no duele
ante los ojos de la necesidad
para lanzarnos su desprecio
disfrazado de ayuda humanitaria.

Con qué otro país jugará
al desastre en su campo de golf?

2017

---

1. Referencia a "La Milla de Oro", el distrito financiero de Puerto Rico y el mayor complejo de instituciones de inversión financiera en las Antillas.

RESISTENCIA CULTURAL
ANTE LA ADVERSIDAD

MARICRUZ RIVERA CLEMENTE

Desde el privilegio que les otorga el poder, las autoridades gubernamentales y funcionarios públicos solicitan, cada año al pueblo puertorriqueño, prepararse para la temporada de huracanes. ¿Cómo se pueden preparar las personas pobres o que tienen pocos recursos ante el embate de un huracán? La compra de equipos, materiales y provisiones para enfrentar desastres naturales no es una posibilidad real para miles de personas que viven bajo extremas condiciones de pobreza en la Isla.

Como en una sociedad capitalista, es usual que las personas con más dinero pueden acaparar la mayor cantidad de bienes, recursos y servicios, así que, las menos privilegiadas y más empobrecidas no tienen el acceso necesario para asegurar ni proteger sus viviendas ni los escasos bienes que poseen. Aunque el Estado active sus mecanismos de "protección al consumidor", ¿Cómo las personas más pobres comprarán los artículos necesarios para su sobrevivencia durante la emergencia?

Además del pobre acceso a artículos de primera necesidad y provisiones, la evacuación de personas enfermas y con problemas de movilidad es un asunto que no se tuvo en consideración hasta el último momento del inminente paso del huracán. Desprovistos de la información y ubicación actualizada de las personas encamadas, enfermas y de edad avanzada las autoridades gubernamentales fallaron en movilizar y proveer refugio a la mayoría de estas personas en nuestra comunidad y en otras comunidades vecinas.

Don Goyito de 82 años de edad y residente en la comunidad negra y costera de Tocones en Loíza es un ejemplo de la pobre atención que le prestó el gobierno local a la población anciana. Goyito se refugió con su esposa en la vecina casa de su hija los días de huracán. Él, como los miles de residentes en comunidades negras sufre por causa del racismo y la pobreza, dos de las condiciones sociales más perniciosas generadas y transmitidas desde la modernidad para el desarrollo del capitalismo. Los huracanes Irma y María arrancaron el techo de zinc de la vieja vivienda de Don Goyito. La casa, construida sus paredes y piso en madera, avanza en su deterioro en cada evento de lluvia.

De esta frágil vivienda, Don Goyito, no posee título de propiedad, así como muchos residentes de comunidades empobrecidas a través de Puerto Rico. Es en esta comunidad de Tocones que el 6 de febrero de 1980 las autoridades del sistema judicial (policía y tribunal) agenciaron la orden de desahucio y en la que fue muerta por manos de la policía y en presencia de su familia y la comunidad, Adolfina Villanueva, evento que recuerda con mucho pesar Goyito. Las disputas por la tenencia de la tierra entre los negros residentes originarios de las comunidades en Loíza, que por cientos de años las han habitado, y los blancos desarrolladores que de alguna manera "inexplicable" obtienen la titularidad de las mismas y pretenden construir proyectos residenciales y/o turísticos donde los negros pobladores, aun permaneciendo en su lugar de origen, se les asigna una nueva categoría de otredad. Aunque, la casa de Don Goyito, vieja y frágil como está, permanece dignamente erguida en medio de gigantescos y lujosos complejos residenciales; evidenciando la eterna resistencia que por siglos las personas negras y afrodescendientes han utilizado, tanto de forma individual como de forma colectiva, para su defensa.

La experiencia con el paso de los huracanes, Hugo el 18 de septiembre de 1989, Georges el 21 de septiembre de 1998, Irma el 6 de septiembre de 2018 y María el 20 de septiembre, también, en 2018, ha demostrado que estos fenómenos atmosféricos sirven para develar la pobreza que existe en Puerto Rico y poner en evidencia la vulnerabilidad en la que el Estado ha mantenido a una considerable parte de la población. Se ha de prestar la debida atención, también, a los esfuerzos de recuperación; ya que éstos se dilatan en mayor o menor grado según el nivel socioeconómico al que se pertenece. Ejemplo de esto es que, el área turística-residencial de Isla Verde fuera atendida con mayor prontitud que la comunidad de Piñones aunque son áreas cercanas y cuentan con la misma línea de distribución de energía eléctrica. La zona de Isla Verde recobró el servicio de energía eléctrica a días del paso del Huracán Irma y la comunidad de Piñones recibió el Huracán María sin electricidad hasta un poco más de dos meses posterior al evento.

Los huracanes Irma y María agravaron la situación de pobreza de las comunidades de escasos recursos en Puerto Rico aunque el debilitamiento económico en la isla es parte de un proceso acumulativo de las condiciones coloniales en la que se ha sometido al pueblo puertorriqueño por más de 100 años. Las políticas neoliberales que rigen el mundo articulan, ante los eventos de crisis, estrategias de acción que benefician al mercado para los mejores intereses del capital. La escases de alimentos, materiales y medicamentos y a su vez el aumento en precios de éstos, la pérdida de viviendas y empleos fueron algunas de las condiciones que acrecentaron de manera dramática el empobrecimiento de personas y familias en las comunidades.

¿Cómo es que el poderoso gobierno imperial de los Estados Unidos no tuvo una respuesta rápida, coherente y efectiva en suplir las necesidades del pueblo puertorriqueño durante y después de esta catástrofe? El empobrecimiento del pueblo puertorriqueño en general es un acontecimiento paulatino y consecuente de la estructura neoliberal global. ¿Cuál y cómo fue la respuesta del poderoso gobierno de Estados Unidos antes, durante y después del azote del Huracán Katrina en New Orleans?

Es evidente que "la crisis" ofrece oportunidad para, también, adelantar las políticas neoliberales que gestionan, en el caso de Puerto Rico en particular, el cierre de escuelas, clausura de hospitales, desmantelamiento de servicios públicos, recorte en beneficios laborales, entre otros. Políticas neoliberales que en el caso colonial de Puerto Rico son propuestas por la Junta de Control Fiscal, organismo que ejecuta el mandato, con todo el poder imperial que se le ha otorgado, del gobierno de los Estados Unidos sobre el gobierno y el pueblo de Puerto Rico.

En las comunidades, en los barrios, en las calles y en cada esquina de la nación borincana se demuestra que ante la adversidad hay un pueblo puertorriqueño solidario y generoso. Desde individuos, familias, grupos y organizaciones de pueblos vecinos, en la Corporación Piñones se Integra (COPI), se comenzó a recibir, a solo horas del paso del Huracán Irma, donativos y suministros para asistir ante la necesidad. A la convocatoria que hiciera COPI llegaron personas vecinas para organizar la distribución de suministros y ayudar a las personas más necesitadas de cada sector en la comunidad. Se identificaron de inmediato las personas y familias con necesidades apremiantes: personas enfermas y encamadas, madres solas con infantes y niños, además, personas ancianas. Los suministros se entregaban casa por casa, de vecino a vecino y fueron utilizados los propios recursos de la comunidad. Las primeras, y en algunos casos las únicas, ayudas que llegaron fueron las entregadas por COPI; luego del Huracán María fueron llegando otras organizaciones y otros recursos. Muchas ayudas y dinero que, desde la diáspora boricua en los Estados Unidos, fueron colectados y entregados al gobierno no llegaron a las personas más necesitadas en las comunidades. Así que, desde la diáspora se fueron identificando organizaciones como COPI para distribuir las provisiones.

Sin perder de perspectiva que la pobreza, la violencia y la pobre escolaridad tienen una estrecha relación con el asunto racial, por tanto, mientras más negra es una comunidad más empobrecida y desprovista de recursos está. Así que de esta forma, lo no blanco que es Puerto Rico desde la concepción de la ideología racista por parte de la supremacía blanca estadounidense conduce al empobrecimiento del pueblo puertorriqueño. Añadiendo a esta débil situación la acelerada migración que, utilizada como válvula de escape, debilita aún más la ya maltrecha economía local.

Mientras tanto, el pueblo de Puerto Rico, sigue en su eterna e interminable resistencia cultural que de manera interrumpida, desde la invasión del gobierno de los Estados Unidos a Puerto Rico en 1898, ha servido de fuerte cohesión a la identidad boricua-nacional. En Piñones, en Loíza y en otras comunidades negras a través de la Isla se han mantenido fuertes tradiciones ancestrales que han servido como armas de resistencia. La comida, la música, las prácticas espirituales son manifestaciones culturales que emergen desde los saberes ancestrales comunitarios y que conducen hacia espacios de liberación.

el 8 de septiembre de 2018

A JULIA KELEHER, SECRETARIA DE EDUCACIÓN DE PUERTO RICO, QUIEN SE ENCONTRABA EN EL MISMO VUELO DE AMERICAN AIRLINES QUE YO, CUATRO MESES DESPUÉS DE MARÍA[1]

ANA PORTNOY BRIMMER

Probablemente crees que 188 no es una cifra muy alta
    pagaste más de cinco veces eso por tu asiento
    "Priority"
    y recibes 1,330 veces eso en salario anual
    y no son mas que escuelas   hay otras…siete pueblos
    arrasados más allá
Probablemente ni te has dado ni cuenta de cuán lleno va este avión
    que un porcentaje de los más de 25,000
    estudiantes que
    se han ido de las 188 escuelas que **tú** cerraste
    van en este vuelo.
pero yo no me dedico a las estadísticas   las cifras siguen
cambiando   se me corta la respiración y
no quiero hablar de números.
                    contigo no
Probablemente no te diste cuanta de las represas desbordadas cuando
montaste este hipogrifo que chilla   cubos bajo quijadas con
    temblequera
    dedos diques agrietados acunando charcos salados de pena
    pero tienes tu botellita de agua y *whiskey* incluidos
    así que no tienes por que preocuparte

---

1. El número de escuelas mencionado en el poema (188) incluye el número de escuelas públicas cerradas por Julia Keleher y el gobierno antes y después de María. No obstante, el número de escuelas públicas a cerrarse tras el paso del huracán ascendió luego de enero del 2018. La cifra actual es de 280 escuelas. Se están implementando además escuelas chárters a través de la isla.

Probablemente crees que el retumbo que sientes por
debajo
    es el motor del avión o tecnología nueva para dar masaje en
    los asientos caros
    no se te ocurre que va sentada encima de la
    tripa de este animal de American   haciendo la digestión
    de las migajas de rehenes desesperanzados que llevas
    detrás
El avión ahora intenta despegar
    soltando y escupiendo combustible mientras
    tú respira tranquila   hasta este monstruo
    de titanio hiperventila bajo el peso humano que lleva a
    cuestas
    nunca has mirado hacia la destrucción
que detrás   hacia
ese mar azul   de toldos de FEMA
ese verde ondulante   de camiones del ejército
esa arena dorada   de residuos de escuelas
un paraíso de tu creación
podando las matas   la trinitaria   los presupuestos
vuelas voluntariamente   con promesa *Priority* de
volver
y disparas números a honda limpia
    haciéndole pucheros en tu piña colada
desde la mesita de patio en la terraza techada (mire qué suerte)
de su casa

junio del 2018

(Publicado con permiso de la autora.
Publicado inicialmente el 12 de marzo de 2018 en *La Respuesta*.)

EL LEVANTAMIENTO DE MAESTROS
IGNORADO POR LOS MEDIOS DE COMUNICACIÓN

Labor Notes.org

Labor Notes (LN) conversó con Mercedes Martínez, presidenta de la Federación de Maestros de Puerto Rico (FMPR). Lo siguiente son dos de dichas entrevistas.

Febrero de 2018. Entrevista con Meghan Brophy.
LN: ¿Podría darnos un trasfondo sobre lo que estaba pasando en Puerto Rico antes del huracán?

Los siete miembros de la Junta de Control Fiscal de PROMESA son como tener siete dictadores. Lo primero que hicieron cuando los nombraron fue anunciar recortes al presupuesto. Aprobaron una supuesta "reforma laboral" que consistía en el despido de un sinnúmero de funcionarios y la eliminación de días pagos por enfermedad y horas extra para empleados del sector privado que trabajaran más de ocho horas. Hubo compañías que despidieron y recontrataron a los mismos empleados, pero con menos beneficios y derechos básicos.

Llevamos años enfrentando ataques a nuestro sistema de educación. Quieren recanalizar fondos públicos a escuelas privadas. Inicialmente pudimos frenar el proyecto de ley, pero ahora estamos bregando con la misma afronta de nuevo. Quieren botar a miles de maestros, cerrar cientos de escuelas, crear un sistema de cupones y privatizar las escuelas.

¿Cómo ha sido vivir y trabajar en Puerto Rico tras el paso de María?

Estamos viviendo lo que Naomi Klein denomina el "capitalismo del desastre". Todavía hay mucha gente sin luz ni agua. Se están robando las baterías de los generadores. La gente está cansada y vulnerable —y los que están en el poder se están aprovechando del desastre para adelantar sus agendas de reforma corporativa. Organizarse colectivamente en estos momentos está siendo bien difícil para todos los trabajadores del sector público del país, incluyendo en el área de educación.

La Secretaria de Educación trató de cerrar más escuelas después del huracán, pero las comunidades pelearon y ganaron. Los mismos maestros se dieron a la tarea de arreglar muchas de las escuelas cuando el gobierno no quería reabrirlas. Tuvimos que protestar con las comunidades, pidiendo que se les permitiera a los niños regresar a sus escuelas. [Julia Keleher, Secretaria de Educación de Puerto Rico] cerró cincuenta escuelas durante el huracán, y nosotros logramos parar el cierre de treinta.

¿Qué papel han tenido los sindicatos en la recuperación de Puerto Rico?

La devastación ha sido rampante y todas las uniones han estado trabajando en conjunto para reparar lo que haya que reparar y asistir en la recuperación del país. La unión de trabajadores eléctricos ha estado trabajando incansablemente para restaurar el servicio de la luz, con todo y que el gobierno no les ha dado el equipo suficiente. Y además están tratando de hacerle entender al público que la privatización no es la respuesta. Y como los intentos de privatización son ataques contra toda la clase trabajadora, no podemos dar respuestas individuales. Sino que estamos uniendo fuerzas —los sindicatos del sector público, los del sector privado, grupos comunitarios y demás— reuniéndonos todas las semanas y trabajando concertadamente para defendernos.

¿Qué sucede con la privatización de la AEE? ¿Cuál es la posición de las uniones?

Todavía quedan cuatrocientos mil hogares sin luz, lo que equivale a un millón o un millón y medio de personas. La unión está trabajando día y noche para reestablecer el servicio, pero no tienen suficiente gente para reestablecer tantas líneas a un ritmo tan acelerado. Han llegado alrededor de 1,700 celadores desde Estados Unidos para echarnos una mano, pero es una pena que Estados Unidos no haya permitido que vinieran también trabajadores de Cuba y Venezuela a ayudar. La unión ha dejado en evidencia la falta de equipo necesario y la agenda del gobierno. A mí me parece que no se quieren ir en huelga ahora mismo, por lo que ha ocurrido en el país. Es fuerte, ya que hay tanta gente sin luz. Están haciendo todo lo posible para hacerle saber al pueblo lo que ocurriría si privatizan, y todos los derechos que perderían.

Acaban de anunciar una serie de propuestas de "reforma" educativa. ¿Qué están haciendo los maestros, padres, y estudiantes para mantener las escuelas abiertas?

Nos estamos preparando para dar la batalla, informando a la gente sobre la necesidad de irnos en huelga hasta que el gobierno retire el proyecto de ley. Estamos llevando a cabo varios talleres diariamente para poner al día a los padres y las comunidades sobre el riesgo que estamos corriendo. Los maestros se han ido en huelga en contra de las escuelas chárters y los intentos de privatización. Hicimos lo que había que hacer, y no pudieron pasar la ley. Y aquí estamos de nuevo, en la misma situación otra vez.

¿Qué pueden hacer activistas y sindicatos solidarios en Estados Unidos para apoyar la causa de nuestros hermanos y hermanas en Puerto Rico?

Ya hemos visto mucha solidaridad por parte de las uniones en Estados Unidos. Han venido enfermeros, doctores, y trabajadores sociales a ayudar a niños sin seguro médico en nuestras escuelas y a cuidar de gente en sus hogares. El grupo denominado Movement of Rank-and-File Educators, o el "Movimiento de las Tropas Educadoras", dentro del sindicato de maestros de la Ciudad de Nueva York, ha estado muy activo. Nos han enviado muchísimas aportaciones monetarias. Han ayudado a explicar la situación de Puerto Rico al pueblo estadounidense y nosotros hemos tratado de reciprocar, informándonos sobre cómo ayudar con la causa del sindicato en Nueva York.

Ha habido mucha gente que nos ha escrito, que han estado llamando a sus representantes en el Senado y que han abierto peticiones formales para difundir información sobre cómo se está queriendo aprovechar el gobierno del desastre. Y ya que somos un sindicato relativamente pequeño, contando con unos 3,500 miembros, abrimos una campaña de *GoFundMe* para ayudar a sufragar el costo de la lucha.

Exigimos que se marche del país la Junta de Control Fiscal y pedimos la abolición de la deuda de $72 mil millones. Tengo presente que existen muchas afrontas al sistema de educación pública en Estados Unidos también. Hace falta enlazar todas las luchas de oposición.

4 de mayo de 2018. Entrevista de seguimiento con Jonah Furman.

LN: ¿Qué novedad hay en la organización de los maestros?

Estamos yendo a las escuelas que pretenden cerrar para empezar a boicotear los exámenes estandarizados, de manera que podamos poner presión sobre el gobierno para que mantengan esas escuelas abiertas.

Primero dijeron que iban a cerrar 305 escuelas; luego bajaron el número a 283; ahora van por 266. En la isla entera hay 1,100 escuelas. O sea, que quieren cerrar casi un tercio de las escuelas.

El 20 de abril hubo una manifestación enorme frente al Capitolio, organizada por todas las escuelas que quieren cerrar. Se presentaron padres y maestros, dispuestos a entregar una resolución, pero la policía bloqueó el paso aunque el edificio es un edificio público. Así que llevamos a cabo un acto de desobediencia civil. Eventualmente, salieron varios senadores y recogieron la resolución. Nos dirigimos también hasta la Fortaleza y presentamos el plan de los maestros. Así que no pueden alegar que no recurrimos a las vías correctas.

Quieren convertir diez por ciento de nuestras escuelas en escuelas chárter de aquí a agosto. Y piensan basar sus decisiones en los resultados de exámenes estandarizados, que se empiezan a administrar el lunes. Nosotros nos estamos concentrando en boicotear el examen estandarizado en las escuelas que tienen en la mirilla para cierre. Si no hay examen, no hay resultado y sin información, no hay chárters.

Ha habido escuelas que han comenzado a hacer ocupaciones. En una de ellas, los niños no han asistido a clases hace dos semanas; están exigiendo hablar con el Departamento de Educación. Hay otra escuela que lleva cerrada bajo custodia propia tres semanas. Otra escuela se unió a la táctica hoy, y no piensan desalojar hasta que revoquen la decisión. Otra escuela empieza lo mismo el lunes.

Hoy, 4 de mayo, hubo cuatro escuelas que celebraron vigilias y van a llevar a votación la decisión de unirse a la táctica en la noche del domingo a lunes. Si no responden a las ocupaciones, estamos organizando viajes a la oficina de la Secretaria de Educación para protestar frente a su oficina. Se han unido todos: padres, maestros y líderes comunitarios, pero principalmente las madres. La mayoría son madres.

¿Qué aconteció el 1ro de mayo?

Antes que nada, hay que decir que fue increíble. Más de 50,000 personas se reunieron en la Milla de Oro, zona bancaria donde están los bancos y las oficinas de la Junta de Control Fiscal.

Marcharon juntos los sindicatos, los ambientalistas, las feministas, los maestros, los trabajadores de carreteras, religiosos y profesores, todos en contra de las políticas de la Junta. Los trabajadores eléctricos iban entonando protestas en contra de la privatización de sus servicios. Los empleados del sector privado iban luchando en contra de las reformas laborales que la Junta pretende imponer. Los envejecientes iban para protestar los recortes del 25 por ciento de sus pensiones. Los padres llegaron para protestar el cierre de las escuelas. Los ambientalistas iban protestando unas leyes nuevas que les permiten a los desarrolladores construir lo que sea donde sea. Fue una manifestación masiva. Un espectáculo de fuerza y unión para el gobierno, que vieran y pudieran apreciar el sentir del pueblo.

Pero a la misma vez, fue inmisericorde. La brutalidad policiaca fue abrumadora. Trataron de ponerle fin a la marcha en varias ocasiones. Tiraron gases lacrimógenos contra miles de personas. Los manifestantes llegaron a un acuerdo con la policía que si no pasaba nada en quince minutos, los iban a dejar ir. Pasaron diez minutos y la policía empezó a tirar gases lacrimógenos. Tiraron a gente al piso, incluyendo mujeres y niños. Persiguieron a estudiantes hasta sus casas y arrestaron a veintidós. Fue horrible. La policía agredió a periodistas a propósito. Todo fue premeditado. Se creyeron que iban a lograr que la gente se echara para atrás y lo que lograron fue que la gente se enojara mas.

El 2 de mayo, una organización política orquestó una marcha en la zona turística en contra de la Junta y de la brutalidad policiaca, pidiendo que se retirara de su cargo al jefe de la policía. Querían mostrar al mundo que no vamos a dar marcha atrás.

Reimpreso con permiso.
Entrevistas publicadas inicialmente
el 14 de mayo de 2018 en LaborNotes.org.

(Ver video de las charlas de Martínez en la Conferencia Labor Notes 2018, en https://facebook.com/labornotes/videos)

UNA NUEVA DICTADURA SE HA INSTAURADO EN PUERTO RICO

Roberto Ramos-Perea

Siguiendo las órdenes del Gobernador de Puerto Rico, el Dr. Ricardo Rosselló, hoy, Día Internacional de los Trabajadores, la policía dispersa con gases y balas de goma una manifestación de miles de ciudadanos que protestaban indignados contra una nueva dictadura que se ha instaurado en Puerto Rico.

Es una dictadura de impunidad, corrupción política y explotación económica del pueblo puertorriqueño. En el año 2016 llegó al poder nuevamente el Partido Nuevo Progresista (PNP), partido que suplica a Donald Trump, que Puerto Rico sea el estado 51 de los Estados Unidos.

Los gobiernos de los partidos mayoritarios, tanto del Partido Popular Democrático (PPD) que apoya la perpetuación del estado colonial, como los del anexionista PNP han aumentado la deuda pública del país en mucho más de 70,000 millones de dólares, una deuda impagable para Puerto Rico.

Para cubrir esa deuda se han realizado los más abusivos recortes presupuestarios de nuestra historia. Han tomado dinero de las pensiones de los empleados públicos y han recortado todos los presupuestos de todas las agencias. Los fondos para la educación, la cultura, la salud, las mejoras de la infraestructura pública, se vieron mermados casi en su totalidad para poder ofrecer a Estados Unidos y a una Junta de Supervisión Fiscal nombrada por el Congreso, un plan de pagos que aminorara la deuda y complaciera a los acreedores. El gobierno de Puerto Rico y la Junta de Supervisión Fiscal son dos garras de una misma fiera.

En ese proceso nos sorprenden dos huracanes desastrosos que lanzan a Puerto Rico a su peor miseria histórica.

Estados Unidos por su parte, envía escasas ayudas y éstas son saqueadas por el gobierno para beneficio de su personal y sus funcionarios. Aún en Puerto Rico, ocho meses luego de los huracanes, hay cientos de familias sin energía eléctrica y cientos de casas cubiertas con toldos.

Este desastre dejó sin trabajo y sin seguridad de salud a más de medio millón de personas, muchas de las cuales emigraron a Estados Unidos.

La peor parte de esta crisis, es que en medio de las crueles necesidades de salud, de empleo y de educación, el actual gobierno pone a la venta la Autoridad de Energía Eléctrica, así como más de otras veinte corporaciones de servicios públicos que eran propiedad del Pueblo de Puerto Rico. Ordena cerrar más de 300 escuelas causando un caos social entre los estudiantes. Las escuelas vacías se venden por un dólar a los allegados del gobierno. Destruyen paulatinamente la Universidad de Puerto Rico arruinando su prestigio y limitando sus capacidades. Eliminan de raíz todos los presupuestos culturales, porque la cultura puertorriqueña es resistente de la asimilación a Estados Unidos.

Abren la puerta a las negociaciones con intereses corporativos del fundamentalismo cristiano y colocan como legisladores en el Senado y en la Cámara de Representantes a los más agresivos defensores de la derecha religiosa cristina violando el más caro principio de la separación de Iglesia y Estado. Y encima de todo esto, sustituyen a los secretarios del gabinete puertorriqueños por funcionarios estadounidenses pagándoles sueldos de medio millón de dólares al año.

Intervienen la judicatura, legislan para favorecer corporaciones afiliadas al poder y decretan leyes en contra de todos los avances obreros y sindicales.

Compran con dinero del pueblo a periodistas para que estos insulten al pueblo puertorriqueño y promuevan el asesinato de nuestros más caros valores nacionales.

Nada de esto es de asombrarse si conocemos que dictaduras iguales han asumido el poder en todo el mundo. Pero Puerto Rico es un país geográficamente menor a muchos de ellos, por lo que el control de toda resistencia va dirigido a la rápida aniquilación del pueblo.

Es hora de que el mundo sepa lo que aquí pasa. Estados Unidos no asume ninguna responsabilidad tras haber invadido militarmente y bombardeado nuestras playas en 1898.

Estados Unidos no tienen ningún interés en convertirnos en Estado de su Unión. Lo han dicho miles de veces. Su único interés es despoblar la Isla para venderla en pedazos a los intereses turísticos y comerciales de las grandes corporaciones de EE.UU., entre ellas Monsanto.

Puerto Rico es una de las últimas colonias de América, sino la última. Estamos incapacitados para impedir este caos. Necesitamos del apoyo internacional. Necesitamos la expresión de los más altos foros internacionales y de los gobiernos que con dignidad han representado la democracia en el mundo. Tenemos que dar a conocer este genocidio o esto terminará muy mal, no solo para nosotros, sino para el necesario balance de la fuerzas del mundo.

el 1 de mayo de 2018

ESCUCHAR, LA POLÍTICA NECESARIA: CÓMO NACIÓ UN COMEDOR SOCIAL EN YABUCOA

ISMAEL "KIQUE" CUBERO GARCÍA

ESCUCHAR LAS HAMBRES SILENCIOSAS

Escuchando los latidos del estómago del pueblo y su hambre tras el paso del huracán María, al octavo día el Centro de Desarrollo Político, Educativo y Cultural (CDPEC) montamos, en colaboración con el grupo Urbe a Pie[1], un comedor comunitario al que llamamos Centro de Apoyo Mutuo (CAM). El primer día que empezamos a practicar la solidaridad y proponer otra manera de relacionarnos en torno a la comida, llegó al CAM gente que no había comido en tres días. Algunos y algunas ni lo habían dicho, habían intentado en vano acallar su hambre. A esta hambre se añadían otras: la de salud, la de tranquilidad mental, la de cariño, la de un techo seguro, la de propósito en la vida, la de solidaridad; hambre de relaciones humanas medidas por el respeto mutuo y no por el dinero o afán de lucro; hambres silenciosas, hambres nuestras también y de todos los días, hambres desde antes de María.

Y fueron estas muchas hambres las que trajeron al CAM a Carmen, quien vagaba por el pueblo buscando qué comer porque llevaba días comiendo galletas Export Sodas. Carmen vio la fila frente al CAM y preguntó de qué era. Le dijeron que ofrecíamos almuerzos proponiéndole como intercambio, cuando pudiera, comer a cambio de tiempo de trabajo, suministros o donativos en efectivo. Estas tres formas de intercambio lo llamamos sistema de tres aportaciones y es un sistema practicado desde hace cuarto años por Comedores Sociales de Puerto Rico, un proyecto del CDPEC. Carmen comió y optó por dar tiempo de trabajo. Fue así que la bautizamos Carmen Café, por ser la encargada de preparar el café del desayuno a las alrededor de 150

---

1. Organización sin fines de lucro dedicada a proyectos culturales para el desarrollo socioeconómico comunitario.

personas que asistían diariamente en el comedor comunitario del CAM.

El 11 de octubre, día 13 del año 0, los del CDPEC decidimos ensayar una política nueva en el CAM. Inspirados e inspiradas en las lecturas que a principios de siglo XX hacían obreros y obreras en las fábricas de tabaco durante la jornada, hicimos un NotiCAM con el voluntariado. El NotiCAM consistió en leer, mientras se preparaba el almuerzo, alguna noticia seleccionada previamente de la prensa escrita. Emilú Berríos leyó del diario *El Vocero* una noticia cuyo titular era "María deja estela de hambre en Yabucoa". "Pasadas ya tres semanas del azote de María, los residentes de este municipio —el primero en recibir el impacto del poderoso huracán— todavía tienen problemas para conseguir lo más básico: agua y comida". Al escuchar estas palabras Carmen Café no pudo trabajar más y se fue a la parte de atrás a llorar. Carmen Café es yabucoeña y le entristeció enterarse que su pueblo había quedado destrozado por el huracán. Pero más le entristeció la ausencia de una iniciativa como el CAM. Nos pidió que ayudáramos a crear un CAM en Yabucoa. Nos retó a asumir el desafío de hacer una política necesaria. Y la escuchamos.

ACTUAMOS...

Dos días después, Carmen Café y yo íbamos en camino a Yabucoa para contactar personas interesadas y buscar lugares con una capacidad mínima de cocinar para unas 200 personas diariamente. En Yabucoa hay un supermercado mayorista y minorista del cual dependen gran parte de los pequeños comerciantes y gente común de este pueblo y el de Manuabo: el supermercado Ralph. La reportera de *El Vocero*, Maricarmen Rivera Sánchez, decía que en Ralph había una larga fila para entrar así que decidimos hacer una parada ahí para hablar con la gente.

Ralph era un hormigueo de personas. Carmen Café comenzó presentándose a dos señoras como voluntaria del CAM en Caguas, yabucoeña del barrio Calabaza, hija de Lola que fue cocinera de la escuela José Facundo Cintrón. Les preguntó cómo estaban las cosas ahí con la comida. Las señoras nos contaron que todo se les había acabado en la casa y el supermercado no había querido abrir, además, los dueños de Ralph pusieron los precios por las nubes como por ejemplo las latas de salmón a $10 y el aceite de maíz a $7. Carmen Café entonces les explicó nuestra intención de montar un comedor comunitario con el sistema de tres aportaciones y les explicó en qué consistía. Un señor, que estaba detrás de las dos doñas y quien escuchaba atento la conversación, interviene: "¡Ah sí! Cómo en los tiempos de antes", validando con esa expresión la práctica política del CDPEC: organizar con la gente de abajo, oprimidos y oprimidas, en torno a necesidades básicas comunes (alimentación, salud, vivienda, educación, cultura, transportación y cariño) buscando soluciones colectivas a problemas aparentemente individuales. Una de las doñas nos recomendó que fuéramos a la emisora de radio local, Victoria 840 y pidiéramos tiempo en el aire para anunciar nuestra intención.

En Victoria 840 relaté la historia de Carmen Café y de cómo su desafío nos interpeló a estar ahí con la intención de montar un comedor comunitario con el apoyo del CAM de Caguas. El apoyo consistía en equipo para cocinar, comida para alimentar mínimamente a 200 personas por dos días, es decir, unos 400 platos en total, y cuatro personas del CAM: el cocinero introvertido William, la enérgica Carmen Café, el joven incansable Vladimir y este paciente organizador, Kique, que escribe este cuento.

Ante la pregunta de la locutora, Linda, de si esperamos recibir ayuda del Municipio y si hemos hecho acercamientos al mismo la respuesta fue tajante: no vamos a esperar ni por el municipio, ni por el gobierno, ni por FEMA, ni por los federales; no vamos a esperar por nadie, con o sin gobierno lo vamos a hacer y lo haremos porque las circunstancias lo hacen necesario y mucha gente en el fondo lo anhela. Fue la frase "con gobierno o sin gobierno lo vamos a hacer, no vamos a esperar por nadie" la que hizo a Jannette, madre trabajadora del sector Rincón del barrio Camino Nuevo, dar media vuelta al guía de su Hondita y dirigirse a toda prisa a Victoria 840 para ponerse a disposición de facilitar la creación de un comedor social. Fue ella quien nos llevó al barrio por donde entró la furia del ojo de María dejando a su paso destrucción y tristeza. Fue ella quien nos presentó a la aguerrida Marti y la honesta Lelis, dos mujeres que con su fuerza interior han estado desde el día uno. Nos llevó a las parcelas de Camino Nuevo para que con nuestro paso dejáramos un comedor social y solidaridad.

...Y LUEGO DECIMOS

Decir fue hacer: el miércoles 25 de octubre, día 27 del año 0, a las 11:30 a.m. el Comedor Comunitario de las parcelas Camino Nuevo sirvió su primer plato de comida caliente: arroz con pollo y habichuelas coloradas. Desde entonces sirve con amor solidario de lunes a viernes 100 platos, 45 de ellos a domicilio para personas que por condición física y/o mental no pueden llegar al comedor que se hace desde el parque de pelota y fútbol Alvin Telles Meléndez. Pero no siempre fue así. Hubo dos días, duros e intensos, en los que produjimos 398 platos que se hicieron en dos pequeñas estufas de gas caseras de 4 hornillas. Esta masiva operación fue para alimentar además de las parcelas, al sector montañoso del Guano (211 platos), a Hoyo Vicioso (45) y al sector costero El Negro (66), todos barrios pertenecientes a Camino Nuevo. Gente olvidada por los partidos políticos que solamente se dan la vuelta por esos lares cada cuatro años; gente también olvidada por las empresas y bancos que solamente le buscan para los *Black Fridays* o para pagar cuentas.

Cada día y sus noches hubo que ensayar distintas políticas organizativas cuyos resultados no sabíamos de antemano pero tampoco nos preocupábamos de saberlo. El tiempo del estómago hambriento urgía a actuar aunque fuese errando. Pero el margen de error es bien poco, requiere ser asertivo; para ser asertivo, hay que tener plena atención en el momento y sus constantes cambios. Y corregir sobre la marcha: inventamos o erramos como nos enseñó el maestro Simón Rodríguez.

Nos inventamos preguntas más que respuestas sin temor a errar. Algunas preguntas guías para la acción política: ¿qué hacer colectivamente con lo que hay, con lo que aparece? ¿cómo gestionar colectivamente lo que se necesita hacer como colectivo en lugar de gestionar colectivamente lo que se necesita tener como individuos? Estas preguntas fueron las guías en los siguientes ensayos políticos practicados en Yabucoa:

• analizar coyunturas y escenarios políticos con la gente al momento de buscar un lugar desde el cual cocinar de manera autogestionada sin intervención ni del Estado ni de empresas privadas;

• integrar al voluntariado en los procesos de toma de decisiones y en la organización del trabajo como la creación, al tercer día, de un menú sabroso con los nutrientes necesarios usando las donaciones hechas por la gente los primeros dos días;

• anunciar el inicio del comedor a través de Radio Móvil, un ensayo de comunicación política mediante la amplificación de un mensaje, pregón o *promo* lanzado por altavoces encima de un carro;

• moderar las reuniones colectivas o hacer una acción política sin excluir lo espiritual como cuando se empezó a comparar con los comensales la comida que estaba entregando FEMA vs la que ofrecíamos allí. El punto de partida para hacer la comparación y la crítica a la respuesta del imperio fue un dicho cristiano: "La verdad es hija de Dios."

Mucho tanteo político, lanzándonos al vacío ideológico sin saber, confiando en la capacidad transformadora de la llamita humana.

Como organizador, el ensayo político más retador ha sido esforzarme en escuchar y no imponer una política ni una ideología, no querer tener el mando de la situación y así dar espacio al nacimiento del liderato que surge de las de abajo y los de abajo. Ese liderato que nace de las entrañas de los pueblos siempre tiene como suelo la dignidad y, cuando se desarrolla y afianza, es contundente. Me tocó acompañar de muchas maneras a Marti, coordinadora del Comedor Comunitario de Camino Nuevo y antigua funcionaria electoral del PNP, en sus gestiones para coordinar las distintas áreas de trabajo del comedor social (cocina, distribución, *runner*, compras, *closing*).

Uno de esos acompañamientos más difíciles fue cuando FEMA y el ejército invasor, en conjunto con el Departamento de la Vivienda colonial, llegaron con la intención de usar el parque para distribuir comida y suministros. Con toda la rabia del mundo adentro no me impuse y dejé que Marti negociara con FEMA y el ejército invasor "USAmericano" por el espacio del parque. Para mí era más importante que Marti aprendiera a mirar "descolonizadamente" al opresor que lo que yo pensara de los invasores así que solamente le aconsejé que la negociación se tenía que dar de tú a tú, que sea quien sea siempre debemos sentirnos dignos y dignas porque en el Comedor Comunitario Camino Nuevo cocinábamos dignidad y ese es nuestro valor.

A Marti le tocó defender el acceso para entrar y salir a las *runners* de los platos de comidas (del Guano, Ester y Zory; de

Hoyo Vicioso, Jennifer; del Negro, Noelia), y en su defensa del parque cayó en cuenta que habíamos ocupado y construido un espacio político nuevo aunque no lo hubiéramos pensado de esa manera hasta ese momento. Y Marti, estadista militante del PNP, enfrentó a los militares de armas largas a la entrada del parque y logró que dejaran pasar nuestros carros. Más tarde en el día Marti me expresó su lección política y descolonizadora: "el hecho de estar pasando necesidad no es razón pa' que nos humillen."

Días antes de la invasión al parque por parte de FEMA y el ejército "USAmericano", Marti me había ordenado que cruzara un convoy militar con la Chevrolet del CDPEC en medio de la carretera. Así lo hicimos y tuvieron que darnos agua para el Comedor Comunitario Camino Nuevo y agua para Marti. En ese momento supe que Marti se iba sintiendo empoderada, que la creación del Comedor Comunitario Camino Nuevo había iniciado un proceso político con potencial descolonizador. ¿Cuál será el desenlace de ese proceso? Difícil decirlo, pero fue iniciado y eso es un avance en esta larga guerra contra el capitalismo colonial y todos sus aparatos, especialmente el Estado. Decir nuestra política fue hacerla, y hacerla porque se escuchó la política necesaria.

¿CUÁL ES LA POLÍTICA?

"Escuchar es uno de los verbos más filosóficos que hay", me dijo una vez un compañero de estudios de filosofía. Tras veintiuno años de actividad política puedo decir que es probablemente también uno de los más políticos pero menos practicados.

Callar y escuchar antes de expresar la propia ideología es hoy una nueva forma de hacer política. Y es nueva no porque no fuera practicada antes, es nueva porque es necesaria en el tablero político de este primer año de austeridad bajo la bota de la Yunta de Control Fiscal y su gobierno colonial títere rojo y/o azul. Este primer año viene matizado por los efectos materiales y psicológicos de un devastador huracán que servirán a la Yunta y al gobierno colonial para imponer políticas antipáticas al pueblo. Y aún nos queda una década (y quizás hasta más) de austeridad.

En este tablero político de éxodo masivo de nuestra población, de abandono del Estado de sus ciudadanos coloniales y dejarlos a merced de la crueldad del Mercado, de la bancarrota moral de los partidos políticos tradicionales y su gestión para no quedarse fuera de la repartición del botín, de la mezquina política de las organizaciones de oposición al régimen dictatorial de sobrevivir sus pequeños colectivos y sectas, en ese tablero político de hoy, decir y repetirse el credo político y organizar en torno a esa creencia política para luego, acaso, escuchar lo que se quiere escuchar, es un error político. Hoy hay que escuchar el dolor y la rabia de nuestra gente, estar atentos a los destellos de su dignidad, y generar los procesos políticos para que la experiencia adquirida por nuestro pueblo en tantos años de explotación, represión y sufrimiento sane y esté en función de crear otras condiciones de vida, otra sociedad, un país por fin.

Con humildad nosotros y nosotras en el CDPEC hemos decidido cambiar de práctica política distanciándonos de una mera política de oposición que busca negociar con el Estado un espacio o reconocimiento político; hemos decidido escuchar las lecciones de autogestión de la gente de abajo y generar procesos políticos partiendo del conocimiento y experiencias de esa auto-gestión desde su base, transformándonos en el proceso. Somos un experimento político en construcción así que perdonen los inconvenientes. No tememos errar porque no hay ningún problema en errar. Hacer, pensar, imaginar nuevas prácticas políticas, hacer, errar y escuchar las lecciones del error es política necesaria. Errar no es un error. En política se puede errar, lo que no se puede es insistir en políticas erradas.

diciembre del 2017

FLORECER HACIA LA LIBERTAD, AUTOETNOGRAFÍA

Raquela Delgado Valentín

Nací en una colonia y, sin duda alguna, esto ha tenido influencia en mi formación transgresora. Ante las injusticias no es posible callar, ni quedarse inmóvil, porque hacerlo te posiciona del lado de quien oprime. Pedro Albizu Campos[1] decía que cuando "la tiranía es ley, la revolución es orden", y en esta colonia la lucha revolucionaria ha sido un hecho constante.

El mes de septiembre ha tenido significancia en la historia de lucha de Borikén. Un 23 de septiembre de 1868 se gestó el Grito De Lares. Un suceso que tiene gran importancia para nuestra autoestima colectiva, sobre todo porque nos reafirma que donde quiera que hay opresión hay resistencia y lucha. Otro 23 de septiembre, pero en el 1990, Filiberto Ojeda Ríos burló al FBI, dejó el grillete en las escaleras del periódico *Claridad* y se fue al clandestinaje a reorganizar un movimiento armado de liberación nacional. Cada 23 de septiembre, durante 15 años, Filiberto enviaba un mensaje de aliento y de unidad en la acción al acto de conmemoración del Grito de Lares. Sus últimas palabras fueron escuchadas en la Plaza de la Revolución [en Lares] un 23 de septiembre de 2005. Mientras su hogar estaba siendo asediado por los asesinos del FBI, cientos lo escuchábamos atentamente en la plaza y vitoreábamos con él "¡Que viva la unidad independentista! ¡Que viva! ¡Que viva Puerto Rico libre! ¡Que viva! ¡Hasta la victoria siempre!" Aún me duele este recuerdo. Y duele, porque vivir en una colonia vilipendiada por el imperio yanqui, crea muchas desigualdades, violencias e injusticias.

---

1. Fue presidente del Partido Nacionalista de Puerto Rico desde 1930 hasta su muerte en 1965. El objetivo del partido era obtener la independencia del país; muchos miembros fueron encarcelados por sus creencias y actividades, incluido Albizu Campos durante veintiséis años. Mientras estaba preso fue sometido a experimentos de radiación, que luego en 1994 lo confirmaron el Departamento de Energía de Estados Unidos.

Nuestra colonia se llama Puerto Rico. Se dice que el nombre de Puerto Rico tiene su génesis en la conquista del imperio español y fue declarado con ese nombre aludiendo a las riquezas que encontraron los invasores en la isla, entonces despojando a lxs nativxs de sus tierras y agrediendo sexualmente a nuestras ancestras. La posición geográfica es privilegiada, como punto de articulación en el Caribe entre Centroamérica, Suramérica y Norteamérica. Esa misma posición geográfica le sitúa en la ruta de los huracanes, siendo septiembre uno de los meses más activos en la temporada huracanada.

Reflexionando sobre mi experiencia con los huracanes, me di cuenta lo desligada que estaba del proceso de preparación. Mi madre asumía todo los preparativos y mi hermano y yo esperábamos con ansias no tener que ir a la escuela y tener vacaciones. Los huracanes Hugo, Hortensia y George son recuerdos de mi adolescencia. No recuerdo que el miedo haya sido una emoción experimentada en esos tiempos. No obstante, con "la huracana" María fue todo lo contrario. Como adulta me tocó asumir los preparativos ante este evento inminente y además, refugiar compas que estaban en peligro por su realidad de vivienda. Pasarlo en corillo amilanó la ansiedad y el miedo.

En Puerto Rico, no se había experimentado un huracán, categoría 5, hace casi un siglo y yo no tenía idea de qué esperar; no sabía la magnitud del evento. La madrugada del 20 de septiembre recibí un mensaje de mi compita[2] desde el pueblo de Carolina (lugar de residencia). "Mamá, estoy súper asustada. No he dormido nada, OK. Se nos inundó la sala y la puerta de la cocina se abrió sola y no cierra porque el viento es más fuerte que la cerradura. Esto es demasiado fuerte. Tengo miedo". Intenté llamarla muchas veces, pero resultó infructuoso, ya no había señal. Después de tantos intentos, cerré los ojos y quedé parcialmente dormida, hasta que mi compita menor, grita "mamá, nos estamos inundando", y no era para menos, el agua entraba por boquetes que yo no sabía que existían. Estuvimos más de doce horas sacando agua, creímos que era interminable. Finalmente, la lluvia cesó y el silencio de la noche fue otro, no se escuchaban coquíes, grillos, múcaros; no se escuchaba nada. Al otro día nos dimos cuenta del daño feroz de "la huracana".

---

2. Nombre que utilizo para hacer referencia a mis hijxs.

Inundaciones, derrumbes, estructuras en el piso, carreteras intransitables, árboles caídos... pocos árboles sobrevivieron.

La desesperación se apoderaba, no había comunicación con nadie y no sabía nada de mi familia. No quedó otra que la autogestión. Pasaron días y lxs vecinxs se aglomeraban con machetes, sierras, rastrillos y café y pasábamos horas abriendo camino. Nos tomó cuatro días para abrir caminos y salir del barrio Río Cañas en Mayagüez; recorrimos recovecos poco transitados y entre derrumbes y árboles caídos, logramos salir del monte. Finalmente, ese domingo preparamos un bulto y nos movilizamos desde Mayagüez a Carolina, para contactar a la familia, con la misión de llegar antes que nos cogiera el *toque de queda* en la calle (un código impuesto por el gobierno colonial para limitar la movilización de las personas). En el recorrido de camino al área metro, nos encontramos con un paisaje desolador por el norte. Nos topamos con un paisaje similar por el sur (árboles caídos, derrumbes, inundaciones, caminos cerrados). Sin duda alguna, la fuerza de "la huracana" arrasó con las estructuras más vulnerables.

El patrón de la autogestión se repetía en todas partes: vecinxs abriendo caminos, compartiendo alimentos, apoyándose mutuamente y el gobierno colonial, pues coquí-coquí; en total silencio e inmovilidad. El colonizador cuando llegó, nos restregó en la cara lo poco que valen nuestras vidas para el imperio. Este señor, en su *media tour* de par de horas, se limpió las manos con papel toalla y nos tiró el resto del papel como un acto de total insensibilidad y desprecio a nuestras vidas. No se puede esperar otra cosa de quienes nos mantienen bajo un yugo colonial hace más de 120 años.

Estamos conscientes que la huracana María lo que hizo fue develar la realidad de desigualdad que vivimos en esta colonia. Sabemos que el gobierno colapsó hace rato y que al impero yanqui no le importamos, por eso muchas corillos que han estado trabajando en diferentes frentes se comenzaron a reorganizar en Centros de Apoyo Mutuos, Comedores Sociales, Brigadas Solidarias y otros grupos e iniciativas de apoderamiento colectivo. Como muy bien dijo Blanca Canales Torresola[3] "Tenemos que continuar la lucha aunque nos tome cien años".

En el oeste nos organizamos en la Brigada Solidaria del Oeste (BSO) y desde allí comenzamos a hacer trabajo de base, apoyar en la limpieza de caminos, recogido de escombro, entrega de provisiones en las comunidades más afectadas en el oeste. La BSO es una iniciativa comunitaria autogestionada por compañerxs de diferentes organizaciones, espacios creativos y luchas sociales. El objetivo principal es apoyar el desarrollo de procesos colectivos en las comunidades y promover la auto-gestión colectiva. Particularmente, esta iniciativa surge luego del paso de "la huracana" María. Se visitan las comunidades más afectadas en el oeste, se auscultan necesidades y se canalizan con el apoyo que hemos estado recibiendo de personas solidarias en Puerto Rico, la diáspora (EE.UU., Europa, Latinoamérica) y otros países. Reafirmamos que la autogestión es la solución para enfrentar la situación de desigualdad promovida desde el estado.

Estamos haciendo trabajo de base y nuestra propuesta se encamina al desarrollo del poder popular desde la radicalidad de las comunidades. Hemos estado construyendo solidaridad con otros colectivos porque sabemos que tenemos los recursos para reconstruir a Puerto Rico desde la justicia social, la equidad y la descolonización. Para ello tenemos que edificar el trabajo desde las bases, desde abajo. Sin duda alguna, "la huracana" nos sacudió. Sin embargo, algunxs entendemos que lo que estamos enfrentando, es la oportunidad para florecer hacia la libertad.

abril de 2018

---

3. Líder del Partido Nacionalista y una de los organizadores del levantamiento armado de 1950 contra el colonialismo estadounidense. Los nacionalistas realizaron acciones en varios pueblos de Puerto Rico. Canales lideró un grupo en la ciudad de Jayuya. Fue encarcelada durante diecisiete años, y continuó abogando por la independencia de Puerto Rico hasta su muerte en 1996..

LA BRIGADA DE TODXS

MARÍA DEL MAR ROSA-RODRÍGUEZ

Los días tras el huracán la oscuridad de las calles y casas era un mero reflejo de una penumbra que nos consumía por dentro. Los árboles caídos y la destrucción de nuestros paisajes parecían una metáfora de nuestras ganas. El tedio de las filas y el calor no se comparaba con el hondo sentido de pérdida. El dolor de la propiedad destruida se quedaba corto ante la rabia que sentíamos por la mediocridad de nuestros gobiernos y por las tantas muertes que nos tocaron demasiado cerca. Nuestra crisis no es producto de huracanes; nuestra crisis empieza en 1898. Los huracanes Irma y María fueron los últimos golpes de un funesto round, de una pelea colonial desigual e injusta, de unas medidas de austeridad sofocantes, y una deuda ilegal que los árbitros se niegan a auditar.

Las semanas tras el paso del huracán fueron semanas de desesperanza, de frustración, de frío y de hambre para muchos, de calor y de hastío para otros. Para mi familia estuvieron cargadas de desesperación porque nuestro hijo de 4 años pasó el huracán con una fiebre de 105 grados, y los primeros tres hospitales que visitamos no pudieron atenderlo porque no tenían energía eléctrica para las máquinas que él necesitaba. El hospital que lo admitió nos advirtió que el generador tenía diésel para apenas cuatro días, y no sabían cómo conseguir más. En un punto me tuve que despedir de mi hijo y de mi esposo porque en casa tenía una bebé que aún lactaba y se nos había acabado la gasolina del carro para ir y volver del hospital. Dejé parte de mi en ese hospital, y no supe nada de mi hijo por varios días pues no había señal para comunicarse ni gasolina para verlo. El 29 de septiembre a las 3 p.m. mi esposo regresó a casa con mi hijo sano. Celebramos y también lloramos porque la suerte (tan escasa por aquellos días) había estado de nuestro lado.

En esos días, sentados en el balcón, escuchando cómo repetían el slogan de "Puerto Rico se levanta," nos atacó la desesperación y la impotencia. Desesperación porque lo que decían en la radio no era lo que veíamos en las calles, impotencia porque parecía que habíamos asumido la insoportable espera del fin del mundo. Allí decidimos que teníamos que hacer sin pedir permiso. El puertorriqueño sabe que es mejor pedir perdón que pedir permiso, y ante el capitalismo del desastre, la ineptitud de FEMA y sus cajitas de comida constituidas por Cheetos y Trident, ante la monumental desorganización de nuestro gobierno, decidimos hacer algo, lo que fuera y como fuera.

Lo que narraré a continuación es el nacimiento de la Brigada de Todxs, uno de tantos esfuerzos de ayuda mutua ciudadana que surgieron a pesar de nuestro gobierno y gracias a la solidaridad de tanta gente diversa adentro y afuera de esta isla. No hay espacio suficiente para contar todas las historias que surgieron en este intento. Me limitaré a contar las nuestras como grupo porque las historias de los vecinos de Utuado, Canóvanas, Ciales, Orocovis, Comerío, Arecibo y Aguas Buenas son de ellos y ellas para ser contadas.

OCTUBRE 2017: En aquel balcón las ganas nos empoderaron y pensamos en lo más inmediato que fue el agua y el aumento en casos de leptospirosis. Decidimos escribirle a nuestros familiares en el exterior para que nos enviaran unos filtros de agua especiales (de aproximadamente $80 que un amigo que trabaja en el *CDC, Center for Disease Control and Prevention,* nos recomendó). El plan era llevarlos a los manantiales que conocíamos y entregarlos a la gente.

Pensamos que recibiríamos diez filtros, pero en el transcurso de dos semanas, llegaron a casa cajas llenas de filtros, algunas cajitas con tres filtros otras con 70+ filtros. Con un simple "post" en Facebook, amigos, familiares, gente que conocía a gente, nuestros antiguos lugares de trabajo en Atlanta, Chicago, Pittsburgh, Indiana nos enviaron cajas de filtros con notitas de amor, de solidaridad y de ánimo. Supimos que no estábamos solos. Entendimos que el inmovilismo era sólo una percepción. La gente quería hacer. No fue difícil asumir la responsabilidad y empezamos a organizarnos.

Martes 10-octubre-2017: Vimos un "post" en Facebook de una joven de Utuado (Gisela) que pedía ayuda pues su barrio estaba incomunicado por derrumbes y puentes caídos. Las autoridades lo sabían pero no habían llegado allí. La contactamos y decidimos que la primera brigada sería para Utuado, a abrir camino, llevar filtros de agua y suministros.

Sábado 14-octubre-2017 un grupo de dieciséis amigos se juntó para intentar hacer. Utuado parecía estar ocupado, lleno de militares y grúas (sorprendentemente limpias) a pesar del fango que arropaba todo. Para estos "primeros 16" de la brigada de todxs, la policía y la milicia siempre estuvieron al otro lado de la valla, del gas pimienta y de la macana por lo que estábamos muy incómodos. Gisela y su hermano se habían dado la tarea de recopilar datos sobre los diferentes barrios en Utuado y sus necesidades. Decidimos empezar por Altos de Arena.

Eran las 7 a.m. y estábamos listos para salir cuando un soldado nos detuvo y dijo que dos representantes tenían que hablar con el sargento de turno para que nos autorizaran. Dos de los hombres de nuestro grupo se adelantaron muy caballerosamente, yo le halé el brazo a uno de ellos, y le dije que mejor íbamos dos mujeres: Gisela y yo. Recuerdo a mi esposo sonreír por mi acto feminista, pero en su sonrisa también había preocupación. Adentro el sargento nos informó que ellos habían ido a todas las comunidades y que mejor dejáramos los suministros allí, y ellos los repartirían. Respirando hondo le dije al sargento: "Nosotros necesitamos llegar hoy a Altos de Arena a llevar lo que traemos. No le vamos a pedir permiso para pasar, y no vamos a dejar nada en este almacén. Hay muchas rutas para llegar a donde queremos llegar y nosotros las conocemos mejor que ustedes. En el fondo, usted sabe que debe dejarnos hacer." Este hombre blanco me miró con una mezcla de rabia y consenso. Rabia porque tenía la boca grande, pero consenso porque sabía que dejarnos pasar era lo correcto. Para mi sorpresa el sargento cedió y así aprendimos que empujar es siempre una herramienta.

Altos de Arena estaba más allá del fango, los derrumbes y los puentes caídos. Tuvimos que dejar nuestros carros 4x4 y subir a pie dos horas monte arriba en donde encontramos unas veinticinco casas. Aún recuerdo la mirada de la primera vecina cuando nos vio. Nos preguntó quiénes éramos y qué queríamos. Respondimos lo que habíamos acordado decir en nuestras reuniones:

> "Somos vecinos de Bayamón, no pertenecemos a
> ninguna organización ni al gobierno, supimos
> que la cosa estaba dura acá arriba y les traemos
> filtros de agua y un poco de comida. No es

183

mucho pero es un gesto de solidaridad para que sepan que no están solos."

Me abrazó y tuve que hacer un esfuerzo gigante para aguantar las lágrimas que no tenía derecho a verter.

Este abrazo se repitió tantas veces a lo largo de las más de quince brigadas que hicimos de octubre 2017 a junio de 2018. Todxs recibimos abrazos y esos abrazos nos cambiaron. Nos permitieron escuchar porque en los procesos de ayuda, lo más importante es escuchar. Entendimos que las cosas que llevamos eran tan importantes como las conversaciones que tuvimos. Eso nos obligó a volver varias veces a cada uno de esos barrios. Volver con médicos, con campamentos de niñxs, con toldos que FEMA no se dignaba a regalar, con más palas y más sierras. Con una botella de vino para un vecino de historia trágica y con libros para otro vecino hermitaño que le gustaba leer. Cada brigada crecía exponencialmente porque siempre visitábamos un barrio nuevo mientras le dábamos seguimiento a los barrios que habíamos visitado anteriormente.

"Posteábamos" las convocatorias en Facebook y siempre llegaba más gente de la que pensábamos. Recuerdo uno de los días que esperábamos veinticinco y cuando llegamos al parking del Krispy Kreme en Dorado había más de ochenta personas. En el estacionamiento había alguien repartiendo desayuno, otra señora regalaba café, había música e intercambiaban herramientas. Había ánimos de fiesta. Hacer en medio de la crisis traía sonrisas.

En el proceso de distribuir filtros nos topamos con tres hogares de niños que aún seguimos visitando rutinariamente con actividades. Un grupo de carpinteros mormones vino de Estados Unidos a construir techos y unió esfuerzos con la Brigada de Todxs. Nos enseñaron a hacer techos, con ellos construimos cuatro techos que FEMA había denegado. Nuestro proyecto de agua y filtros se convirtió en tantas cosas que a veces cuando nos preguntan ¿qué hace nuestro grupo? No sabemos contestar.

Otro componente importante de este esfuerzo fue su composición. Desde que decidimos llamarle Brigada de Todxs hubo un intento de ser inclusivos y abrirnos a todo el que quisiera ayudar. El grupo tenía algunos anarquistas, feministas, cristianos, mormones, profesores de la UPR, sindicalistas, estudiantes, maestros, niños, médicos, veteranos, músicos, había de todo. Pero al momento de poner un toldo, sacar la sierra y atender a los niños, no había divisiones. Éramos un mismo brazo y a mi esta manera de funcionar me parecía alucinante. Recuerdo cuando Gamaliel, el pastor de una Iglesia que nos prestó sus facilidades como centro de acopio y de reuniones, dijo que esto era un junte mágico. Y verdaderamente fue mágico.

En la cuarta brigada nos llamó un militar que había estado aquí desde Irma para saber si podían acompañarnos en su día libre. Para entonces ya habíamos hablado en Fuego Cruzado[1], un periodista americano nos había acompañado en una brigada y habíamos hecho críticas fuertes al gobierno. La paranoia del infiltrado me asedió y quise decirle que no. Pero pausé. En mis clases hablo tanto de inclusividad, hibridez, de la importancia de las contradicciones y de la necesidad de la diversidad en la lucha que no podía decirle que no sin mentirme a mi misma. Con muchas dudas le dije que podían venir, pero que tenían que dejar sus uniformes y venir como civiles. Jeremy y cinco amigos soldados nos acompañaron en varias brigadas, abrieron caminos y también recibieron abrazos. Recuerdo que cuando se despidieron de nosotros nos dijeron que en las brigadas era cuando único sintieron que habían hecho algo de valor. Se disculparon por su presidente, por su gobierno, por su ejército y admito que todxs los abrazamos. Esos abrazos ya no fueron incómodos, fueron abrazos que surgieron de un quehacer en común.

La Brigada de Todxs entregó 513 filtros Sawyer, entregó más de 450 compras, más de 300 paquetes de suministros para niñxs y bebés, repartió alrededor de 128 toldos resistentes, instaló toldos en más de 27 casas, ayudó a llenar solicitudes de FEMA y a darle seguimiento, limpió muchas casas sin techo y abrió muchas calles, nuestros médicos hicieron más de 100 consultas gratuitas, compramos una planta a un paciente de diálisis, repartimos muebles, construimos un piso y cuatro techos. Hoy seguimos en contacto con las comunidades y con los hogares de niñxs. Colaboramos con otras organizaciones sin fines de lucro para proveer placas solares a familias. Dimos y recibimos infinidad de abrazos.

---

1. El nombre de un programa de radio transmitido desde San Juan, Puerto Rico.

Escuchamos innumerables historias de desamparo, de hambre y de muerte pero también encontramos una entereza de espíritu y unas ganas de vivir que nos hicieron sentir pequeñitos. Estaremos eternamente agradecidos de todos esos seres especiales que nos ayudaron a empezar algo adentro y afuera de la isla. Ustedes son la promesa de que otro Puerto Rico es posible. ¡Seguimos!

noviembre del 2018

www.facebook.com/pg/Brigada-de-Todxs-164935170914256/photos/?ref=page_internal

La Brigada de Todxs, 2017

La Brigada de Todxs, 2017

Fotos cortesía: Brigada de Todxs

La Brigada de Todxs, 2017

FEMA

José Ernesto Delgado Hernández

*F*ueron ellos quienes nos castigaron con la sed al incautar la libertad del agua.

*E*llos, que dejaron fermentar el hambre del pueblo negándonos el pan de la solidaridad.

*M*anteniendo las fronteras cautivas y dejando así el dolor del país atascado en sus manos.

*A*llá van los mercaderes de la crisis jugando con los suministros como piezas de lego…

noviembre del 2017

EL CAM Y LAS ESTRATEGIAS DE CAMBIO

Giovanni Roberto Cáez

Puerto Rico se ahoga en una crisis profunda tras el paso del huracán María. El nivel de drama social, con miles de personas sin comida, agua o atención médica adecuada, ha confirmado la precaria situación de grandes sectores de nuestra sociedad previo al ciclón destructivo. Junto a las hojas de los árboles, María se llevó el velo que tapaba la profunda pobreza que cientos de miles de personas ya vivían en todo el archipiélago puertorriqueño.

La crisis profunda, sin embargo, no es la continuidad de las situaciones de todos los días, sino que lo cotidiano se acompaña de una importante erosión momentánea de los poderes establecidos. La capacidad de respuesta y recomposición del Gobierno de Puerto Rico sigue siendo lenta, guiada por el dinero y bastante atropellada a ya casi un mes del paso del huracán. "*Business as usual*" parece ser la consigna de los de arriba.

Para nosotros y nosotras en Comedores Sociales y el Centro para el Desarrollo Político, Educativo y Cultural (CDPEC), esta crisis ha sido una enorme oportunidad para apostar por el pueblo, para dar un paso afirmativo en la tarea indispensable de vincular nuestras estrategias de transformación a la gente de abajo.

Con mucha ilusión participamos del Centro de Apoyo Mutuo, con la firme intención de crear comunidad de resistencia a través de la comida y otras necesidades, no para asistir. Nos anima el desarrollo, el crecimiento, las tareas de transformación, no el "*relief*".

Es cierto que todas las tareas de ayuda son necesarias en estos momentos. Celebramos cada plato de comida que llega a una persona con hambre, cada medicina que llega a un enfermo, cada camino que vuelve a conectarnos. ¡Hay que ayudarnos!

Sin embargo, las personas que estamos detrás del CAM de Caguas hemos sido activistas por muchas años y sabemos que junto al "*relief*" de los gobiernos se esconde un profundo regreso a la crisis una vez las ayudas desaparezcan tras la primera ola. Es lo que se oculta tras las promesas de "normalidad" del gobierno.

Entonces, ¿qué hubiese sido de la vida de Carmen "Café" (¡porque hay muchas Cármenes en el CAM!) si solo recibe comida un par de semanas? ¿Qué sentido tendría la vida de Isaías, si se quedaba en su casa esperando los $500 de FEMA? ¿Dónde terminaría Norberto y sus tiernos saludos si se queda todo el tiempo en su casa? Hay consenso: estaríamos deprimidos y deprimidas. Porque juntarnos para comer, para sanar, para reconstruirnos ha sido la manera más poderosa de romper el ciclo de violencia al que el sistema nos tiene malamente acostumbrados.

Así nació el CAM. Porque el "apoyo mutuo" es más natural a los seres humanos que la "competencia". En las filas de comida insistimos que esto no es "asistencialismo" del que hacen los gobiernos, no. Usando el modelo de tres aportaciones de Comedores Sociales, les explicamos a las personas que pueden aportar trayendo algunos materiales, aportar con dinero o venir a ayudar en lo que puedan. Preguntamos, ¿cuál es su talento? "Si sabe cantar, pues cante," le escuché a una compañera contestar a una comensal. ¡Y cantamos en la fila!

Al Centro de Apoyo Mutuo ha llegado de todo. Una compañía de salud, de esas que no vale mencionar, fue a repartir propaganda en la fila y le pedimos que ¡se fuera! Varias funcionarias del Municipio de Caguas intentaron trabajar "desde allí" y le dijimos que mejor ¡se fueran! Una funcionaria del Departamento de la Familia quería poner mesa en el CAM para dizque orientar... y sí, ¡fuera! No queremos a ningún representante de la vieja política, de los que son parte del problema, orientando, explicándole a la gente como seguir siendo parte del sistema, ¡no! Toda esta gente son parchos, curitas que se le ponen a una herida muy grande que no sanará con los mismos remedios.

A veces esta radicalidad puede parecer extraña en medio de esta profunda crisis. Una compañera del CAM y yo tuvimos una reunión intensa con una representante de una ONG creada tras María que promete comida y ayuda médica escoltada por militares uniformados. Le pedimos que vinieran, pero con los militares no. En todo caso, que no viniera nadie uniformado o armado. La representante nos aseguró que lo intentaría, aunque al momento de escribir este artículo no nos ha dado fecha de visita, ni comida ni medicinas.

Tenemos claro que enfrentar esta crisis con cierta perspectiva social es un reto de gran tamaño. Hay hambre y necesidades de todo tipo que se agravan por la falta de agua potable y hasta de comunicación. ¿Qué sabemos de nuestras montañas? ¿Qué sabemos de Vieques o Culebra? ¿Qué sabemos de nuestra gente?

Por ahora tengo mucha confianza en lo que hacemos porque escucho las palabras de esperanza del voluntariado activista del CAM. Son estas personas las que se pasan diciendo que "esto no puede acabar," que "no lo podemos dejar caer", que "María nos juntó para que fuésemos familia de ahora pa'lante."

Por eso el CAM más que un lugar en un pueblo cualquiera es un movimiento desde abajo para transformar las relaciones sociales dominantes, porque en el fondo sabemos, han sido esas relaciones las que nos han traído hasta aquí. Hoy más que nunca "solo el pueblo salva al pueblo."

el 18 de octubre de 2017

PARTE 3:
REIMAGINANDO
EL FUTURO DE
PUERTO RICO

"Nuestra Madre Tierra, militarizada, cercada, envenenada, un lugar donde los derechos básicos son sistemáticamente violados, exige que actuemos. Construyamos sociedades que puedan coexistir de una manera digna, de una manera que proteja la vida. Unámonos y mantengamos la esperanza mientras defendemos y cuidamos la sangre de esta Tierra y de sus espíritus ".

Berta Cáceres
Premio Ambiental Goldman 2015
discurso de aceptación

"La transición justa es un conjunto de principios, procesos y prácticas guiadas por la visión, la unificación y el lugar, que construyen el poder económico y político para pasar de una economía extractiva a una economía regenerativa. Esto significa acercarse a los ciclos de producción y consumo de manera holística y sin desperdicios. La transición en sí debe ser justa y equitativa; reparar los daños del pasado y crear nuevas relaciones de poder para el futuro a través de reparaciones. Si el proceso de transición no es justo, el resultado nunca lo será. *Just Transition* describe a dónde nos dirigimos y cómo llegamos allí ".

Alianza de Justicia Climática https://climatejusticealliance.org/about/

ANTES Y DESPUÉS DE MARÍA

Rafael Cancel Miranda

El huracán María nos ha causado algunos daños, pero no tantos como los que nos han causado los 120 años de coloniaje, la negligencia criminal y el traqueteo, tanto del gobierno títere como del gobierno imperialista estadounidense. Aún antes de María, ya Puerto Rico estaba en crisis con una supuesta deuda multimillonaria. Si examinamos la realidad, es Estados Unidos quien nos debe a nosotros. Y hay una deuda que jamás podrán pagar: los miles de jóvenes que han muerto en sus guerras contra pueblos que no nos han hecho nada, o que han regresado gravemente afectados física y mentalmente. Esto me recuerda que en 1949 fui sentenciado a cumplir dos años de cárcel por un tribunal estadounidense en Puerto Rico por rehusar inscribirme en su ejército y matar coreanos.

Tan pronto los militares estadounidenses nos invadieron el 25 de julio de 1898, además de devaluar nuestra moneda en 40%, el primer gobernador que nos impusieron, Charles Herbert Allen, se apoderó de la producción azucarera en la isla. A través de los años, los yanquis siguieron destruyendo nuestra economía para beneficiar la economía de los Estados Unidos. Desde entonces hemos estado trabajando para ellos. Estados Unidos se lleva anualmente miles de millones de dólares de Puerto Rico, incluyendo las ganancias que le reportan las leyes de cabotaje[1]. El huracán María destapó la pobreza creada por esta situación.

Se usa a María como una excusa para justificar la implantación de la privatización y el neoliberalismo en Puerto Rico. Recuerdo las palabras de don Pedro Albizu Campos cuando dijo que el coloniaje llevaría al pueblo puertorriqueño de ser dueños a ser arrimaos y de patronos a peones. ¿No es esto lo que estamos viendo? Mientras miles de boricuas se ven obligados a dejar su hogar patrio, el gobierno colonial sigue entregándoles la patria a millonarios estadounidenses.

---

1. Se refiere a la Ley Jones.

Después del huracán María se habla de reconstruir a Puerto Rico. ¿Pero dónde están los poderes para hacerlo si el verdadero poder reside en los Estados Unidos y ese poder se impone aquí para explotarnos, no para ayudarnos? A Puerto Rico solo lo reconstruye la independencia. La capacidad y los medios los tenemos, y con la independencia tendremos los poderes para construir nuestra Patria para los puertorriqueños y puertorriqueñas.

el 10 de octubre de 2018

NO. PUERTO RICO
NO SE LEVANTARÁ

Roberto Ramos-Perea

A riesgo de ser vilipendiado por un ejército de optimistas amarillos, la verdad es que no. Nunca nos levantaremos. NUNCA. Si levantarse implica estar como estábamos antes de Irma, y María, lamento informarles que la cantidad de negocios que anuncian sus cierres definitivos, implicando el despido de cientos o miles de empleados en el breve tiempo de un mes, comienza a desmentirles.

Sume la masiva emigración y sus desastrosas consecuencias, al irreversible desastre y abandono de comunidades enteras en el interior del país que literalmente desaparecerán.

Sume además la perpetuidad de la corrupción rampante y el desprecio por el país que han demostrado políticos y funcionarios gubernamentales en su incompetente manejo de la crisis.

Sume la sucia complicidad de la prensa. Ese servilismo gratuito, ese besamanos vergonzoso de relacionista público que hace añorar los tiempos en los que la prensa representaba a las masas oprimidas. Hoy es un asco ver cómo los más grandes escándalos les pasan por las narices, y ella prefiere MENTIR para salvar su vida corporativa ante su obvio dueño: el gobierno.

Sume la pestilencia de la burocracia. Miles de ayudas del exterior que no llegan porque a un miserable funcionario gringo, vergüenza de su "land of the free" no le sale de su entrepierna dar el permiso.

Sume también la impunidad del desperdicio, robo, acaparamiento y mal uso de las ayudas recibidas y sume además la burocracia federal y estatal; sume el desprecio del gobierno de EU; sume un nuevo despertar de la Junta de Control Fiscal que vendrá como Mefisto a cobrar de donde sea; sume la hipocresía y velagüirismo de los políticos coloniales estadistas que besan las suelas de los zapatos de congresistas interesados solo en el cheque de campaña.

Sume el pánico, el estrés, la violencia, el crimen y los tiroteos en la oscuridad.

Sume el abuso y la avaricia sempiterna de los negocios que han quintuplicado el precio natural de una botella de agua. En especial esas megatiendas gringas que nunca perderán la costumbre de explotar a este pueblo.

Sume la continua mentira que encubre la ya comenzada privatización de nuestro patrimonio. Sume los días perdidos de estudiantes y profesores.

Sume el hastío de los que dependen de la energía eléctrica para llevar comida a su mesa. Sume el atraso cultural (teatros cerrados, artistas desempleados)... la economía estancada que termina por hundirse sin recuperación posible. Si antes habíamos tocado fondo con nuestra miseria, ¿qué sima será más honda después de este huracán?

Sume el sentido de fracaso de haber tenido una Nación en quiebra económica ahora transformada en quiebra ambiental con quiebra moral.

¡Sume TODAS LAS MENTIRAS! Desde que todo el mundo está comiendo caliente hasta que la central de energía de Palo Seco ya no sirve y que llegarán ya mismito un millón de brigadas gringas que harán lo que los de aquí no han hecho. Mentiras que protegen a los criminales que nos gobiernan; que protegen contratos y partidos.

¿Usted de veras cree que con todo este panorama Puerto Rico se levantará? ¿Hacia dónde? ¿Dirigido por quien? ¿Bendecido por qué dios? Si NUNCA hemos estado preparados para caernos, ¿¿cómo demonios nos preparamos para levantarnos??

Puerto Rico no se levantará. Nunca. Se devolverán a su sitio con mucho esfuerzo algunas cosas que el viento movió de lugar. El agua, la luz, los techos, Netflix... pero de eso a levantar un espíritu destrozado por el ultraje y el abandono, por el abuso, por la ineptitud. No. De ese sentimiento no se levanta nadie.

Para eso hace falta una Revolución.

Y no una maldita esperanza en un gobierno inútil, ni mucho menos en una supuesta historia de "triunfos sobre la adversidad" con que racionalizan el olvido de este prístino e innegable genocidio de una Nación que lleva más de 500 años cuajándose y ahora apesta. Sigan echándonos en cara ese optimismo pendejo. Sigan diciendo que estamos bendecidos. Que los puertorriqueños pueden luchar contra la adversidad y salir airosos. ¿Qué mas adversidad que 500 años de colonia de lo que NUNCA hemos podido salir? Cuando nos levantemos del huracán, seremos sepulcros blanqueados.

Hace falta una revolución. Un cambio de esperanzas. Valor para señalar a los culpables, enfrentar a gritos a los opresores, protestar en las filas, hacer lo que hay que hacer sin esperar permiso. Velar por la vida de la justicia con el coraje del que sufre. Levantar voces y gritos en las puertas del poder. Desnudar la miseria ante los ojos de los poderosos. Obligarlos a que viren la cara desdeñosa.

Ser puertorriqueños de carácter y de lucha. No añoñados optimistas a quienes han dormido con eslogans de Pablo Coelho (o lo que ha sido la última bofetada a este pueblo: que la prensa llame a la Primera Dama "el ángel de los pobres").

Quien siga sonriendo porque piense que todo estará bien, quien siga acusando a los realistas de pesimismo, cuando vuelva a su caseta de votar (si tiene algo en su corazón que no sea un miserable colonialismo partidista), acuérdese de los 1,000 muertos y, de entre ellos, aquellos ancianos que se fueron de la vida porque ni los gringos, ni el miserable gobierno que tenemos hicieron nada para evitarlo. No hay mejor motivo para una revolución que el alma y el rostro de sus muertos. Que si algo se ha de levantar, que sean ellos. Los que murieron por falta de medicinas, de hambre y de sed.

octubre del 2017

GRITO A LA PATRIA

Mariela Cruz

Cansada de amenazas te hago frente.
Aquí estoy para que escuches mis reclamos.
Mi consciencia siempre ha sido congruente,
la verdad, mi bandera y estandarte.

En vano intentas destruir lo que es mi esencia.
Golpea, si es que te hace más valiente.
Ataca con cobarde altanería,
Soy la piedra, soy el muro…, tu impaciencia.

El hambre y la ignorancia son cadenas.
Ataduras que aún nos siguen corrompiendo.
Tontas las migajas que me lanzas,
necias las palabras que no acepto.

Dispuesta a la lucha estoy de pie.
Atrévete, vamos lanza el primer golpe.
Aquí no faltará quien te conteste,
Soy David y te espera mi resorte.

Ya no temo al gigante sin cerebro,
por su sangre solo corre don dinero.
Zopilotes que se nutren del que sufre,
Pitirre al gavilán, hará su entierro.

Aquí estoy, dispuesta a la batalla,
uso letras y mis versos como arma.
Sentimientos en acción con la palabra,
soy la voz de aquel que nunca habla.

Soy muralla de recuerdos malheridos.
Soy machete, soy la piedra en tus entrañas.
Soy la ceiba que se aferra ante la lucha.
Soy la jaiba, cuando creas que me engañas.

Soy cultura, soy idioma, soy la tierra,
que se expresa con coraje ante la historia.
Somos uno cuando tocan nuestro orgullo,
ya queremos alcanzar nuestra victoria.

No detengas tus palabras, son tus armas.
Griten fuerte por aquellos que no pueden.
Somos raza, somos alma, somos mente.
Somos pueblo que destaca por valiente.

Unamos nuestras voces en un grito.
El mundo escuche la desnuda realidad.
Si tus armas son los versos y las letras,
grita fuerte reclamando, libertad.

septiembre del 2017

Cortesía: Brigada Todxs, 2017

LA AGROECOLOGÍA COMO HERRAMIENTA PARA LA SOBERANÍA Y RESILIENCIA EN PUERTO RICO TRAS EL PASO DE MARÍA

CivicEats.org, Heather Gies

Incluso antes de que María arrasara la isla en septiembre del 2017, Puerto Rico ya importaba el 85 por ciento de los alimentos consumidos. La agricultura local se había ido en declive hacía décadas, gracias a la industrialización estadounidense de la isla y el subsiguiente abandono de la agricultura diversificada a menor escala, a favor de un modelo de plantaciones. Entre una economía agonizante, las medidas de austeridad y el hecho de que el 44 por ciento de la gente en Puerto Rico vivía por debajo de la línea de pobreza, la seguridad alimenticia en los hogares puertorriqueños languidecía.

De cara a la falta de acción federal tras el paso del huracán, los residentes de la isla unieron fuerzas para apoyarse unos a otros y reconstruir. Y como parte de un esfuerzo más abarcador para tratar de restaurar el panorama agrícola de la isla, ha habido líderes comunitarios que se han dedicado en el pasado año a ayudar a agricultores vulnerables a implementar medidas para resistir desastres climáticos en el futuro.

La Organización Boricuá de Agricultura Ecológica de Puerto Rico, fundada hace 28 años por un grupo activista de autogestión, ha llevado la voz cantante. La agrupación activó brigadas de voluntarios ante una pérdida estimada del 80 por ciento de las cosechas, proporcionando ayuda a productores de alimentos y valiéndose de un sistema de autogestión de agricultor a agricultor para compartir sabiduría sobre las prácticas agroecológicas y la soberanía alimenticia.

Las brigadas organizaron a voluntarios para que les echaran una mano a agricultores necesitados. Los campos, granjas y jardines se convirtieron en aulas y ágoras en toda regla, fomentando el debate sociopolítico. En el contexto de una cifra incierta de difuntos que eventualmente ascendería a unos 3,000, un   sistema de comunicaciones limitado y un apagón general que duraría meses, los voluntarios y agricultores sembraron nuevas cosechas, retiraron árboles caídos, abrieron paso en las carreteras y reconstruyeron hogares. El esfuerzo continúa al día de hoy: a más de un año desde que empezara el proceso lento de reconstrucción, decenas de miles de personas permaneces sin servicio de electricidad confiable y sin viviendas adecuadas.

Desde el punto de vista de los líderes de la Organización Boricuá, María arrojó también luz sobre los retos e inequidad en la relación que Puerto Rico sostiene con Estados Unidos. Una Junta de Control Fiscal estadounidense acababa de privatizar agencias e implementar medidas de austeridad para manejar la devastadora deuda de unos $120,000 millones que estrangulaba a la isla, y el gobierno estadounidense no logró movilizarse eficientemente para hacer llegar ayudas federales ante el desastre. La combinación de ambos eventos se ha convertido en el nuevo símbolo del yugo colonial sobre Puerto Rico. La respuesta de la Organización Boricuá es fomentar la soberanía agrícola.

La semana pasada, la organización *Civil Eats* entrevistó a los miembros Dalma Cartagena y Jesús Vázquez durante la asamblea nacional de la Alianza Estadounidense para la Soberanía Alimentaria en Bellingham, estado de Washington, donde la Organización Boricuá se llevó el Premio por Soberanía Alimentaria. El premio, que fue creado como una contraparte al Premio Mundial de Alimentación, cuyo modelo exalta soluciones mercantiles a la hambruna global, homenajea a individuos y entidades nacionales e internacionales que se dedican a forjar e inspirar soluciones locales de autogestión que democratizan y transforman el sistema de alimentos. La conversación con Jesús Vázquez (JV) y Dalma Cartagena (DC) ha sido editada por razones de claridad y brevedad.

¿Cuáles han sido los logros más importantes de la Organización Boricuá en sus casi tres décadas de funcionamiento?

JV: Uno de los mayores logros ha sido organizar a los agricultores, los trabajadores agrícolas, los campesinos, activistas y educadores, [juntando] a gente de varios sectores para crear un tipo de agricultura más justa, resiliente y sustentable, que para nosotros es la 'agroecología'. Desde nuestro punto de vista, la agroecología es nuestra herramienta de lucha por la soberanía alimentaria.

¿Cuáles son los peores retos que tienen que enfrentar al tratar de impulsar la soberanía alimentaria en Puerto Rico, y cómo han cambiado los retos desde María?

DC: La educación sigue siendo un gran reto. El adiestramiento político sobre los fundamentos de la agroecología también es fuerte, lo cual se he hecho más evidente después de María. La cuestión es entender que sí tenemos la capacidad de ser autosuficientes y de producir nuestra propia comida —comida saludable— con procesos justos para los seres humanos, pero también para la tierra, los ríos, el aire, las plantas y toda la biodiversidad. Hay que ser conscientes de que formamos parte de un agroecosistema. Crear consciencia de esto dentro y fuera de la organización en Puerto Rico ha sido cuesta arriba.

¿La devastación del huracán ha abierto nuevas posibilidades para fomentar y hacer avances en la agricultura sustentable?

JV: Aparte de todo lo malo que trajo consigo, María nos abrió los ojos. Especialmente a quienes no tenían los ojos muy abiertos, distraídos con la rutina de la supervivencia.

Nosotros tenemos una relación directa con los Estados Unidos, supuestamente una de las mayores potencias mundiales. ¿Cómo es posible que nos traten así? ¿Cómo es posible que el dinero que recolecta FEMA (en parte, de los puertorriqueños mismos) para los esfuerzos de recuperación, beneficien a compañías norteamericanas en vez de a proyectos, organizaciones e instituciones puertorriqueños o al mismo gobierno de Puerto Rico? La crisis hace más evidente nuestro contexto colonial. A pesar del hecho de que perdimos vidas —lo cual no deberíamos esconder jamás, como hizo el gobierno— tenemos que reconocer que también ha sido una experiencia de aprendizaje. Y en nuestro sector agrícola, agroecológico y de soberanía alimentaria, hemos reflexionado mucho; nos estamos preparando más, y nos hemos dado cuenta de que lo mejor es la autogestión.

¿Han tenido la oportunidad de trabajar en proyectos nuevos y soluciones nuevas?

JV: Lo primero es que María fue enorme. María nos atravesó diagonalmente desde la punta sureste hasta la punta noroeste, con un perímetro casi del tamaño de la isla, y con una fuerza tremenda. Empezamos haciendo lo que sabíamos, que era apoyar a las brigadas. Pero nos encontramos en una etapa de reflexión con la organización para formalizar los procesos. El comité de educación y activismo, por ejemplo, está trabajando en la creación de una escuela formal de agroecología. La organización también creó un proceso de certificación local que le manda el mensaje al USDA Organic de que hay otras maneras de hacer las cosas. Queremos hacer las inspecciones nosotros mismos, a nuestra manera, escuchando a los agricultores del campo, sean o no sean agrónomos. Y el comité de apoyo a los agricultores, que se encarga de manejar las brigadas, continúa trabajando en proyectos dentro de la organización, pero también proporcionan ayuda a gente, a proyectos y a otras comunidades que pidan ayuda. La organización llega hasta el campo para ayudar a los agricultores con las cosechas.

¿Cómo y por qué empezó el apoyo a las brigadas, quién se beneficia y cuáles son sus objetivos a corto y a largo plazo?

JV: Nosotros decimos que las brigadas son la metodología educacional de la Organización Boricuá. Somos una sociedad de autogestión y tenemos miembros en varias regiones de Puerto Rico. Las brigadas abren para el público en general, no solamente los miembros. Alguna gente se inscribe y van a una finca agroecológica por primera vez, y nace una relación solidaria entre el productor y el consumidor.

Las brigadas ofrecen un vehículo para llegar a las personas. Y además brindan apoyo a los agricultores que necesitan ayuda. Llegan treinta personas, muchos de ellos con experiencia agrícola, y hacen en un día el trabajo que a una familia le hubiese tomado un mes. El trabajo echa para adelante; es un espacio para reflexionar, debatir, sirve de taller —tiene una función educativa— y se repite lo mismo de un lugar a otro. Para nosotros, las brigadas son una metodología para masificar la agroecología.

Dalma, tú que llevas unas dos décadas enseñándoles a los niños sobre la agroecología, ¿cómo es eso?

DC: Yo empiezo con niños entre los 8 y 9 años de edad. Y aprenden destrezas relacionadas a la producción de alimentos saludables a través de prácticas agroecológicas. Aprenden a preparar abono orgánico, aprenden a usar plantas que mejoran la calidad del suelo, como las legumbres, aprenden sobre el uso

208

de una cubierta vegetal, sobre cómo sembrar diferentes vegetales y sobre los productos básicos puertorriqueños.

Y lo curioso es que según van aprendiendo, se convierten en maestros. Una vez han aprendido una de las destrezas, la aplican, no sólo haciéndola, sino enseñándoles a los demás. En los pasados 18 años hemos tenidos a miles de niños que han aprendido destrezas de producción agroecológica, y muchos de ellos han optado por carreras relacionadas a la agroecología. Es algo extraordinario. Los niños dicen que estar cerca de la tierra los hace sentirse como héroes capaces de todo. Son palabras que he escuchado una y otra vez a través de los años. Se sienten que están trayendo algo nuevo al mundo. Y nosotros tenemos la esperanza de poder replicar esto en todas las escuelas; el derecho al conocimiento sobre cómo producir alimentos saludables debería de ser un derecho humano fundamental. La destreza tiene que estar en nuestras manos y nuestra memoria.

¿Creen que esta educación enfocada en la tierra puede construir un futuro distinto para Puerto Rico?

DC: Cuando perdemos nuestra relación con la tierra, perdemos todo lo que la tierra nos da. La tierra brinda paz, poder, alegría, sentido de abundancia, y todo esto se pierde —se lo arrebatan— a los niños cuando no tienen esta oportunidad. Si esa relación se corta, acabas con un ser humano orientado hacia la muerte, y no hacia la vida.

¿Cómo podría la agroecología mitigar los impactos del cambio climático en Puerto Rico?

JV: Científicamente, sabemos que la agroecología enfría el planeta. En el caso de Puerto Rico, la agroecología representa resistencia y resiliencia. Resiliencia en el agroecosistema y resistencia porque cuando decimos agroecología, estamos hablando también de justicia social. Los miembros fundadores de Boricuá se dieron cuenta de que no podemos hacerlo solos; hay que organizarse. La organización ofrece un espacio para resistir y transformar.

Legalmente, somos un territorio norteamericano. Tenemos un contexto colonial. La agroecología es una herramienta para ejercer nuestra soberanía sobre la tierra. ¿Y qué hay que sea más importante? Si logramos expandir el movimiento, se nos hará más fácil superar otros retos. Trabajar la tierra, observar las semillas germinar y recoger la satisfacción de una cosecha exitosa son actos políticos.

¿Qué pueden aprender otros movimientos de soberanía alimentaria y justicia social de la experiencia actual en Puerto Rico?

JV: El huracán puso la agroecología a prueba y tuvimos resultados positivos. Tenemos varios compañeros con fincas que nos han dicho que, a través años de prácticas como la rotación de cosechas, la siembra intercalada, incorporar materia orgánica, cubiertas vegetales, lograron preservar la capa superior del suelo [con todo y la devastación de María]. Eso es oro. Si el agua no se lleva la capa superior, tengo dónde sembrar el día después.

Tuvimos agricultores que tuvieron derrumbes, pero las siembras no se erosionaron. Hubo incluso agricultores cuyas siembras lograron aguantar el huracán. Algunos agricultores con yuca, por ejemplo, un tubérculo que crece bajo tierra, les cortaron los tallos para que el viento no se las llevara, dejando un pedacito nada más sobre tierra. Les pasaron el agua y el viento por encima, pero la yuca estaba ahí, y el día siguiente pudieron cosecharla y ofrecerle comida a la comunidad. Fue gracias a estas prácticas agroecológicas que pudimos comer y recuperarnos más rápido. Sin lugar a duda, la agroecología es la mejor opción ante el cambio climático.

También hemos aprendido mucho sobre la energía renovable y estamos trabajando para depender menos de los recursos energéticos del estado. Tenemos unos cuantos proyectos que ya tenían sistemas listos y hemos visto los resultados, y otros proyectos que han empezado a desarrollar sistemas debido a la experiencia con el huracán.

También hablamos mucho sobre el apoyo mutuo. Es bien importante. Aparte de las razones técnicas y prácticas para que el agroecosistema pueda aguantar un huracán, para lograr tener electricidad, para aprovechar el agua de lluvia, está también la parte social y el tema del apoyo mutuo. La solidaridad internacional es esencial, especialmente en el contexto del cambio climático.

octubre del 2018

PENSANDO EN…

ROBERTO A. FRANCO CARDONA

Soy agricultor de colores, formas y espacios.
Soy sembrador de sonidos que se pierden
en oídos sordos. No seamos como aquellos
que hacen huecos en el suelo para sembrar
dinero y cosechar esperanzas estériles en
vacaciones ya ralladas por el tiempo.

Soy un fruto maduro en el tiempo.
Somos la masa que piensa, escondida
en algún lugar, y cosecho sueños
con aromas de esperanza para luego
cocinarlos en sangre ya reseca
por la guerra anterior,
y enfilo mis cañones al viento,
esperando el eco de su impacto
ya marcado en el mapa de los sueños.

Cuidado con sembrar la semilla equivocada
en el hueco perfecto para nuestro estómago
sediento de alimento, no veneno.
Y me alimento del color y el sonido
que se almacena en mi interior,
como un antiguo eco.

Soy agricultor de comida para el alma,
de combustible pa'l cerebro. Y vivo muy
cerca de ti, allá donde no me ves.

Sólo me percibes en noches de locura
o en bohemias de sueños
transformados en metáforas de amor.

Y no sé si camino en al aire o en el suelo,
pero mis dedos se manchan de barro,
y camino sobre piedras destruidas
por los ciegos que siembran sus semillas
en el vestíbulo del Banco Popular.

Soy fugitivo de la ley por derecho propio.
Y aunque mi libertad sea encerrada,
soy como en el campo la azada,
que al abrir surcos siembra mañanas,
que sin haberse desarrollado ya convalecen.

¿Y cómo salvamos la agricultura?
¿Con poemas o semillas portadoras
de injusticia y falsas esperanzas?
No sé. ¿Quizás?
                    ¿Será el agua?

agosto del 2018

ASPIRO LIMPIAR EL AGUA
CON NUESTRA TIERRA

AMARA ABDAL FIGUEROA

¿Has probado alguna vez agua servida de un recipiente de barro? Es de los sabores más simples y ricos de nuestro planeta.

La filtración de agua con barro no es nada nuevo, de hecho, muchos de nuestros ancestros alrededor del mundo lo hacían. Recuerdo verlos en el Medio Oriente: era lo cotidiano, particularmente antes del descubrimiento del petróleo.

Quiero fomentar la producción de un filtro ecológico en y para el espíritu de la tierra Borikén[1]. Me incliné a esta tecnología rudimentaria y sofisticada con rigor pos-huracanes. En el Caribe abundan suelos arcillosos y riqueza en agua; solo nos falta la confianza para purificarlo. Mi sueño es hacer accesible un filtro que pueda purificar nuestras aguas precarias y construir una red de hornos de bajo costo y bajo consumo de combustible. Intento producir localmente este filtro y catapultar prácticas autónomas de cerámicas en la isla. Tengo experiencia y un deseo incalculable de llevar esto a cabo.[2]

En enero de 2018, estuve en conversación con Ceramistas por la paz, *"Potters for Peace"*, un ONG que ha contribuido al establecimiento de más de cincuenta fábricas de filtro en treinta países y ha brindado apoyado a productores de filtros y alfareros en Nicaragua por más de treinta años. Ron Rivera, activista puertorriqueño del Bronx y coordinador internacional anterior de Ceramistas por la paz, dedicó su vida a abrir centros de

---

1. Borikén

Bori = *espíritu* kén = *tierra* (Norma Medina, Arqueóloga, video *La aldea la luna*) vs. Puerto Rico / Porto Rico, donde nuestras *"riquezas"* salen de nuestro *"Porto."*

2. MAATI es un proyecto que integra tradiciones y precedentes cerámicos de todo el mundo como un recurso para alfareros en Medellín, Colombia fundado por Andrés Monzón, Parul Singh, y Amara Abdal Figueroa en Campos de Gutiérrez, una residencia para artistas. Funciona como un foco para conversaciones acerca del rol de la disciplina cerámica en el arte contemporáneo y la vida cotidiana.

producción de filtros en todo el mundo.[3] El creía en que todas las personas tienen derecho al agua potable. Su meta era abrir 100 centros. Con nuestras intenciones tan alineadas, aspiro ser uno de los muchos esfuerzos que continuarán su legado.

Rivera fue clave en estandarizar el filtro al desarrollar un molde de dos piezas. La receta de barro y aserrín se presiona en un recipiente similar a un tiesto. Cuando se hornea el filtro, el aserrín se quema, dejando numerosas cavidades para que el agua pase por los caminos meandros del filtro poroso, atrapando las bacterias y los virus. Como último, se le da un baño de plata coloidal la cual es un antibacterial, siendo otra capa de seguridad. El resultado: *agua limpia y fresca.*

Ceramistas por la paz me envió su protocolo para estudiar nuestro ambiente en Puerto Rico. Crítico a la producción de un filtro microbiológicamente efectivo es la mezcla apropiada de materiales y temperaturas. Muchas pruebas, registros e interpretaciones de los resultados se tienen que hacer para determinar la proporción de barro y material combustible, y deducir la temperatura óptimas que funcionan en cada terreno. Como resultado de completar una investigación auto dirigida y un curso exploratorio con Ceramistas por la paz, obtuve la certificación para abrir y dirigir un centro de producción de filtros.

En mi práctica entre las artes y la arquitectura, he identificado las necesidades básicas de los alfareros en la isla. Una de las preocupaciones mayores para aquellos que trabajan con barro importado es que son muy costosos. Otra es que las piezas en cerámica no están llegando a la temperatura requerida para convertirse en sólido por la inconsistencia de la infraestructura eléctrica. Para vitrificar un filtro se requiere un calor sostenido y regulado de al menos ocho horas. Basándonos en el protocolo de pruebas de arcilla y nuestros precedentes indígenas, podemos reconocer que la arcilla es un recurso viable.[4] El examen de las arcillas para filtrar el agua en Puerto

---

3. Rivera se apasionó por la cerámica en la década de los 1970s cuando estudió en Cuernavaca, México con Paulo Freire e Ivan Illich quienes enseñaron que los humanos han perdido su conexión con la tierra.

4. La arqueológica de los primeros agroalfareros es la excelencia de su cerámica, la cual posee un alto nivel técnico y artístico.

Rico requiere ensamblar una prensa hidráulica para el molde y construir un horno "Mani" que pueda amontonar hasta cincuenta filtros por quema.[5] Al establecer una fábrica de filtros a pequeña escala, desarrollar las recetas, presionar el filtro y capacitar a los operadores de hornos, sin dejar de lado la programación educativa, los colaboradores podrán llevar este conocimiento con ellos. El reto es crear un modelo económico que pueda hacer que este proyecto sea sustentable en un Puerto Rico financieramente austero.

Este proyecto puede tener ondas expansivas dentro de comunidades autónomas, incorporado a esfuerzos agro-ecológicas educativos, así como a las prácticas artísticas, al fomentar un discurso técnico cerca de arcilla naturales y los hornos-por-construir. Es un reclamo de territorio, una respuesta al robo de nuestras tierras, una manera de agarrar lo nuestro. Este objeto cotidiano puede mejorar nuestra salud, nuestra cultura material actual y nuestra relación con nuestro entorno. Es una propuesta de curación colectiva. *¿Cómo podemos sanar nuestros cuerpos con nuestro paisaje? Limpiando nuestra agua con nuestra arcilla.*

Continuaré esta visión de la única manera que conozco: reuniendo pensadores, creadores y activistas a través de la cerámica. Cada quema será uno de gran aprendizaje entre nuestras colaboraciones intrapersonales y nuestros elementos. Esto nos reconectará con la tierra.

Y ahora, a limpiar agua con barro, *salud.*

noviembre del 2018
Traducido por la autora

---

5. Nombrado por Manny Hernández, quien desarrolló un horno de bajo consumo de combustible hecho de ladrillos de loza, lo que lo hace ideal para la producción de filtros, un objeto de fuego de rango medio, popular en América Central y más allá.

NUESTRA INSURRECCIÓN ENERGÉTICA

Arturo Massol Deyá

Nuestro país padece de una visión colectiva coherente de futuro mientras nos llevan a naufragar con agendas que representan los intereses de otros. Por eso, cuando desde el congreso federal nos quieren imponer la gasificación del País, más que un paso de avance, esta medida representa una nueva imposición colonial de dependencia energética y sumisión a combustibles fósiles. Da lástima ver el papel de servilismo de quienes se hacen hasta supuestos autores de esa clara agenda salvaje que es canalizada a través de los congresistas como Rob Bishop.

El chantaje ya empezó y las falacias de ahorros de un 40% se comienzan a repetir creando falsas expectativas. Las inversiones de gas natural requieren mucha más infraestructura que la que se discute inicialmente, tales como 'peajes', capacidad de almacenaje, gasoductos, acceso a muelles entre otros costos que incluyen fluctuaciones de precios que no controlamos. Peor aún y, contrariamente a la opinión general, las emisiones de gases de efecto invernadero serán mayores debido a la necesidad de licuar el gas antes del transporte a la isla y la regasificación antes del consumo. Durante estos procesos, las emisiones de metano, que son ochenta veces más potentes que el CO_2, representan un excedente neto de gases de efecto invernadero. Por lo tanto, si alguien se beneficiará de la gasificación, no será Puerto Rico. Se beneficia el cartel del gas, junto con la visión anti-histórica de Trump que niega el cambio climático e impulsar más quema de combustibles fósiles con el destructivo proceso de extracción de 'fracking' en Estados Unidos. Ellos son los que se beneficiarán.

Ponernos de acuerdo sobre asuntos críticos ha sido el gran desafío. Estas divisiones nuestras se utilizan por quienes controlan el poder político en Wáshington para no actuar o para dictar a su manera. Pero si algo queda claro como nuevo consenso nacional es el rechazo mayoritario a nuestra condición colonial y que el sistema energético es una configuración obsoleta que necesita reingeniería. Pero esa reingeniería no puede consistir de la sustitución de una dependencia por otra.

La energía es la capacidad para hacer trabajo. El dilema interno es claro: o producimos nuestra propia energía en el lugar donde hace falta, de forma limpia y renovable, o seguiremos dependiendo de importar combustibles fósiles que, aparte de desangrar nuestra capacidad económica, contaminan y requieren de un sistema de distribución confiable para llevar la energía hasta su casa. De la factura mensual que reciben los abonados de la Autoridad de Energía Eléctrica, cerca de la mitad es para el pago de los combustibles fósiles requeridos. Durante la primera década de este milenio se gastaron $22,000 millones en costos por petróleo, gas y carbón, una fuga de capital que agrava una economía en colapso.

Perpetuar la dependencia energética es también perpetuar la colonia manteniendo a la Isla presa como consumidora de un renglón económico fundamental mientras se limita nuestra capacidad de producir energía y riqueza propia. Por lo tanto, si descolonizar a Puerto Rico es un consenso que rebasa ideologías políticas, impulsar autosuficiencia energética con recursos endógenos como el sol, viento, agua y biomasa también debe serlo. Tan así, que hasta el propio Departamento Federal de Energía entiende la importancia de adoptar la energía renovable como el estado de Hawái, que se trazó la meta de lograr 100% autosuficiencia energética para el 2045. Si prefiere la república, también puede mirarse en el espejo de Costa Rica, Uruguay, Portugal o Islandia, donde se vive al cien con energía renovable.

Cuando recibimos en el mes de julio de 2018 la visita en Adjuntas de un grupo de congresistas estadounidenses incluyendo a Nancy Pelosi y Nydia Velázquez, además de compartir nuestras experiencias de autogestión comunitaria, allí se reclamó a favor de comenzar a descolonizar a Puerto Rico con hechos, construyendo un sistema energético de autosuficiencia. Sostuvimos que, atender la pobreza generalizada de la zona, podría también incluir ver a nuestra gente, no como consumidores de energía sino también como sus productores.

Finalmente, el gobierno local acogió el tema de las fuentes de energía renovables afirmando que Puerto Rico debe alcanzar la meta de un 100% para el 2050. Si la palabra estuviera respaldada con la intención y la acción, esta afirmación representaría un gran avance nacional y otro logro de los movimientos sociales en el País incluyendo a la Universidad de Puerto

Rico. Sin embargo, queda mucha lucha por delante. Como dirían en el campo, esto es solo un "duérmete tú". La definición del Gobierno de alternativas 'renovables' incluye la incineración de desperdicios sólidos mientras los proyectos críticos bajo consideración son prácticamente todos con gas o fuentes fósiles alternas al petróleo. Nos dicen "es para la transición a renovables" buscando confundir, manipular y engañar a nuestra gente. Si con esta cortina gubernamental lograsen gasificar a la Isla, en términos prácticos esta agenda representaría el freno más significativo a la integración de fuentes de energía renovables que, poco a poco, se han ido consolidando en el País.

Tras el huracán María, fue evidente que la crisis energética con todas sus consecuencias no se debió a la ausencia de capacidad de generación de energía de las centrales que operan con petróleo, gas y carbón. Esas generatrices estaban y tenemos un excedente de ellas. De hecho, suplen 98% de nuestra demanda energética, aún cuando tenemos tanto sol disponible. Según estudios de Ingeniería, bastaría con colocar paneles fotovoltaicos en menos del 65% de los techos en estructuras existentes para generar el 100% de la demanda energética en horas pico donde se necesita. Hoy no lo aprovechamos ni para producir el 1%. De hecho, con la despoblación, mejoras en eficiencia energética por el uso de luces ahorradoras o enseres más eficientes, y la desindustrialización de la Isla, la demanda energética total ha disminuido sustancialmente en los últimos años. Entonces: ¿Cómo la solución de futuro para atender la crisis energética es construir nuevas generatrices (nueva deuda) para que quemen gas? Esta propuesta tras bastidores no representa nada nuevo ni añade capacidad de resiliencia, un término de moda que tantos políticos cotorrean. Gasificar nuestra infraestructura como combustible de transición a las energías renovables es solo un mito.

Lo que falta en nuestra cartera energética son inversiones en fuentes de energía renovables, con recursos locales, en alianza con la gente misma. Si desde arriba nos condenan al pasado, una ruta a nuestro alcance es impulsar el cambio desde abajo a través de la insurrección energética.

Como parte de sus iniciativas de autogestión comunitaria, Casa Pueblo trabaja para lograr un cambio en el paisaje energético de Adjuntas y Puerto Rico abordando la seguridad alimentaria, las comunicaciones, la educación, el entretenimiento, el derecho a la energía, la salud y activación económica. Decenas de neveras solares fueron instaladas en hogares de todos los barrios del municipio mientras Radio Casa Pueblo opera completamente con energía solar incluyendo su antena/transmisor. Esta configuración energética —que redefine a la energía solar como la fuente primaria— es hoy un precedente para las comunicaciones en Puerto Rico y El Caribe. Además, un cine solar que trabaja con una micro-red energética desde la sede principal de Casa Pueblo es parte de una nueva configuración de servicios hacia el desarrollo sustentable y resiliencia comunitaria.

Un de los primeros proyectos de activación económica consistió en energizar con paneles fotovoltaicos la histórica barbería de Don Wilfredo Pérez. Al preguntarle meses después por su factura de luz, Don Wilfredo es la primera persona que conozco a la que le brillan los ojos con semejante petición. Literalmente, la lectura de su factura coincidía con la lectura de meses atrás, o sea, cero consumo energético externo. De unos $65-$75 que solía pagar, ahora su cargo total del servicio no superó $5.80 correspondiente al 'cargo fijo por servicio de cuenta'. Ese ahorro representa una economía que se queda en sus manos para paliar la pobreza y la injusticia socioeconómica. "Ni cuenta me di del apagón. Los clientes son los que me avisan cuando no hay luz en el pueblo", me afirmó con una combinación de orgullo y felicidad. Nuevos clientes, reducir interrupciones de su actividad productiva y riqueza son parte de los beneficios de energizar estos espacios con sistemas fotovoltaicos.

La barbería se suma a un perfil de proyectos en temas de energización y eficiencia energética en el punto del consumo que realiza Casa Pueblo. En solo unos meses se atendieron diez hogares en la comunidad El Hoyo con sistemas de resguardo para equipos médicos como máquinas de diálisis o terapia respiratoria. Igualmente se atendió el tema de seguridad alimentaria con cinco colmados solares geográficamente distribuidos en la ruralía de Adjuntas. En el tema de educación y entretenimiento, se establecieron salones solares en el Bosque Escuela. Además se instalaron sistemas fotovoltaicos para energizar dos ferreterías; cincuenta hogares a los que vecinos se refieren como 'los cucubanos'; sistemas de resguardo energético en casas con pacientes de diálisis peritoneal; Vista al Río, la primera lechonera de un joven trabajador; y una pizzería, el Campo es Leña.

Del total de la demanda energética en Puerto Rico, el consumo residencial representa el 36.5% mientras el restante corresponde a la demanda comercial (47.4%), industrial (14.1%), alumbrado público (1.47%), agricultura (0.15%) y otros (0.31%). Como estrategia de transición inicial, Casa Pueblo impulsa transformar el sector residencial que está al alcance de nuestra gente. El sector residencial consume 6,600 millones de kWh al año para satisfacer la demanda energética de 1.35 millones de clientes residenciales. El consumo promedio anual por residente es de 4,917 kWh, lo cual se traduce a 13.4 kWh/día. Esa demanda total podría lograrse con 3.36 kWp de paneles en los techo, o equivalente a seis paneles solares de 330 Wp con capacidad de almacenamiento de energía (baterías). Como meta impulsamos '50 con SOL'. Es decir, construir una ruta donde el 50% de la demanda energética residencial se alcance de manera distribuida con sistemas fotovoltaicos en el punto del consumo para el 2027 (a diez años del huracán María).

Un rol de asistencia a los más vulnerables e impulsar fuentes alternas de financiamiento, como por el sector cooperativistas, son pasos de avance que progresan. Generar el 50% de la demanda energética residencial equivale a $481 millones anuales evitados por concepto de combustibles o el equivalente a 'cerrar' la generación de una de las termoeléctricas más grandes del país.

La ruta de la insurrección energética es una agenda que nos pertenece a nuestro futuro. Es un camino democrático y participativo donde la riqueza que se genera se retiene en el País para atender nuestra realidad en lugar de seguir enriqueciendo a quienes más tienen, sean los magnates asociados del gas natural o del petróleo o del carbón sucio. A esos no más, ellos comprometen la habitabilidad de nuestro Planeta. Si damos un paso, que sea para hacerle frente al futuro.

noviembre del 2018

(Publicado con permiso del autor. Una versión de este trabajó se publicó originalmente en alianza de medios del semanario *Claridad*, la revista digital *80 Grados*, y el periódico regional *La Perla del Sur*.)

LA TRANSFORMACIÓN QUE NECESITA
EL TENDIDO ELÉCTRICO
DE PUERTO RICO

RUTH SANTIAGO

A un año del paso del huracán María, Puerto Rico aún depende de líneas de transmisión poco confiables. Dichas líneas transportan energía desde las centrales eléctricas en el sur de la isla, a través de la cordillera central y de los bosques tropicales, hasta las áreas de alto consumo en la zona metropolitana de San Juan. Las líneas son frágiles y propensas a averías constantes, como el fallo en la línea de transmisión 39000 en Aguas Buenas en septiembre de 2018 que dejó sin energía eléctrica a decenas de miles de hogares del este por varios días. Los apagones, ya sean limitados o masivos, incluyendo los dos que ocurrieron en abril de 2018 se deben a fallos en líneas de transmisión que acaban derrumbando todo o una gran parte del sistema.

Las dos principales centrales de la Autoridad de Energía Eléctrica (AEE), la Central Generatriz Aguirre y Costa Sur, así como dos empresas privadas de generación de energía, Ecoeléctrica y Applied Energy System (AES), están todas ubicadas en la costa sur de Puerto Rico, transmitiendo electricidad a la parte norte de la isla. La Central Aguirre y la AES que quema carbón, son los dos mayores emisores de contaminantes tóxicos en la isla y afectan de manera desproporcionada a las comunidades más pobres del área sureste. La planta de AES, que está ubicada en Guayama y transmite electricidad al área metropolitana de San Juan, acumula cientos de miles de toneladas de cenizas de carbón en su sede —cenizas que ya han contaminado porciones del Acuífero del Sur, el cual a su vez sirve como única fuente de agua potable para decenas de miles de personas. Mantener al área de San Juan dependiente de la energía transmitida desde dichas centrales es otra potencial catástrofe.

Muchos entienden que la alta tasa de muertes asociadas con el huracán, estimada en 2,975 a 4,645, se debe a la falta del servicio eléctrico necesario para el funcionamiento de equipos médicos necesarios para la supervivencia. Los envejecientes son particularmente vulnerables cuando ocurre un apagón, y la población de Puerto Rico envejece a pasos agigantados, según las personas de edad laboral continúa su éxodo masivo buscando mejores oportunidades de empleo, las que podrían estar disponibles mediante una transición a un modelo de comunidades solares u otras alternativas a las plantas centralizadas de generación de energía basadas en la quema de combustibles fósiles y la transmisión a larga distancia.

Son muchas las ventajas atribuibles a la generación de energía limpia en el punto o en las inmediaciones del punto de consumo, como los proyectos de equipos solares en los techos. Entre ellas, está poder sacarles provecho a los techos de las extensas construcciones desparramadas existentes para evitar más impactos a los espacios abiertos, los terrenos agrícolas y las zonas de importancia y riesgo ecológico. La instalación de equipos solares en los techos elimina la necesidad de invertir en infraestructura de transmisión. Evita pérdidas de transmisión. Minimiza los costos de mantenimiento de la red y el impacto a bosques y demás vegetación, ya que no implica tanta tala ni poda de árboles. Esta alternativa no depende de que se establezcan servidumbres sobre las propiedades. Los sistemas además ayudan a refrescar las edificaciones y protegen las estructuras. Contar con equipos solares añade valor a cualquier propiedad, estimulando la riqueza local. La generación distribuida desde un techo incentiva la reinversión en la economía local más que los proyectos a escala industrial. Además, le brinda la oportunidad al abonado de ser productor de energía, no solo consumidor, otorgando más control a residentes y comunidades, lo cual es de particular importancia en caso de apagones en el sistema principal. La propuesta cuenta con gran apoyo de la sociedad civil, a diferencia de los modelos de instalaciones en terrenos que han sido objeto de considerable oposición. Los apagones frecuentes por fallos en transmisión se suman a telecomunicaciones intermitentes. Las llamadas cortadas y la escasez o lentitud del internet son la orden del día, aun cuando los gigantes de las telecomunicaciones cobran tarifas exorbitantes por el servicio deficiente.

Algunas personas han comenzado a instalar equipos solares en los techos porque las instalaciones resultaron ser sumamente resistentes durante los huracanes y no requieren combustible ni de mucho mantenimiento. La experiencia con las plantas a base de gasolina o diésel tras el paso de los huracanes estuvo plagada por la escasez de combustible, las emisiones tóxicas y las averías de maquinaria. La Asociación de Contratistas y Consultores de Energía Renovable (ACONER) asevera que el número de instalaciones de placas fotovoltaicas con baterías para almacenamiento de energía ha aumentado de cinco a seis veces desde el paso del huracán María.

Por toda la isla, se pueden encontrar comunidades que se han organizado, acueductos rurales, individuos propietarios de sus residencias, y agricultores a menor escala, instalando o con planes de instalar sistemas de energía solar. En Salinas, por ejemplo, la Junta Comunitaria del Poblado Coquí, Inc. y la Iniciativa Ecodesarrollo de la Bahía de Jobos, Inc., (con los que colaboro), han lanzado un proyecto piloto de equipos solares en los techos desde un centro comunitario, y están adiestrando y educando a la juventud sobre los temas de energía con planes de expandir y crear una comunidad solar.

Muchas de las iniciativas comunitaria han surgido en áreas remotas o en comunidades que luchan por la justicia ambiental, habiendo sufrido impactos desproporcionados por la generación de energía con combustibles fósiles. Si bien dichos esfuerzos son muy valiosos, tienen un impacto muy limitado en la generación de energía renovable en Puerto Rico. Cumplir con la Cartera de Energía Renovable de Puerto Rico, así como alcanzar las nuevas metas, más ambiciosas, recientemente anunciadas por el gobierno, las fundaciones, los centros de estudios y demás partes interesadas en el asunto, requiere medidas agresivas y amplia participación comunitaria.

Actualmente, entre un 97-98% de la energía eléctrica de Puerto Rico se genera a base de la combustión fósil, lo cual significa que sólo un dos a tres por ciento proviene de fuentes renovables. Dichos números no se acercan ni remotamente a lo establecido en la Cartera de Energía Renovable establecida por ley.[1] Históricamente, la AEE ha realizado tremendos desembolsos de $1,000 a $3,000 millones al año en la compra de combustibles fósiles, a través de contratos de compra (y operación) de energía. El petróleo, carbón y gas natural que la AEE y sus dos plantas eléctricas privadas en Puerto Rico queman, se extrae de minas y pozos lejanos, por lo cual el costo de generación asciende.

Existe un consenso general de que Puerto Rico tiene que integrar cantidades sustanciales de energía renovable y otras alternativas a la quema de combustibles fósiles. Una de las lecciones que esperamos se haya aprendido con el huracán María es reconocer que Puerto Rico está situado en el Mar Caribe, que es parte de un "Continente de Islas" en la ruta conocida de huracanes. El sufrimiento y las muertes a causa del huracán María, la falta de mantenimiento a la red eléctrica, así como deficiencias estructurales y problemas en los planes de manejo de desastres han sido inmensos. Los postes de transmisión, las torres, los cables que cruzan la cordillera central y los bosques para llevar electricidad desde el sur hasta el centro de consumo en el norte, muestran un diseño carente de durabilidad y resistencia ante la fuerza de un huracán. Tras el paso del huracán María, el apagón generalizado no sólo de la red, sino de los sistemas fotovoltaicos que dependían de la red en vez de funcionar independientemente, obligaron al pueblo a buscar y crear alternativas para energizar sus residencias e instalaciones.

Cualquier propuesta de recuperación debería incluir esfuerzos para transformar la red por medio de comunidades solares con equipos en los techos, que puedan unir los recursos disponibles a través de microrredes, con la habilidad de conectarse y desconectarse de la red central según sea necesario, conjuntamente con sistemas de manejo de la demanda de energía, programas de eficiencia y otras alternativas presentadas en la plataforma de "Queremos sol": www.queremossolpr.com.

---

1. La Ley de Política Pública de Diversificación Energética por Medio de la Energía Renovable Sostenible y Alterna en Puerto Rico (Ley Núm. 82 de 19 de julio de 2010) requiere la generación de energía renovable sostenible producida en Puerto Rico a una tasa de 12% de producción de energía renovable para el año 2015, 15% para el 2020 y 20% para el 2035.

Si bien es cierto que el gobierno de Puerto Rico ha anunciado nuevas metas ambiciosas con respecto a la energía renovable, la inversión de fondos ha sido en el sistema de transmisión actual, que permanecería vulnerable a vientos huracanados, así como a generadores a base de diésel, y a la conversión de las plantas actuales e infraestructura relacionada a la quema de gas natural. A principios de 2018, la AEE emitió una Solicitud de Propuestas para proyectos de energía para Vieques y Culebra, diseñado para generadores a base de diésel, en efecto excluyendo la posibilidad de establecer comunidades solares con equipos en los techos. Subsiguientemente, Siemens Industries, consultor de la AEE, sometió un plan de recursos integrados preliminar que establecería una estrategia para la red eléctrica de Puerto Rico que propone esencialmente, crucificar a la isla con infraestructura de gas natural costosa, incluyendo la construcción de un gasoducto desde el suroeste de la isla hasta San Juan, y cuatro puertos marítimos de gas natural licuado (GNL).

Puerto Rico tiene que emprender un esfuerzo concertado para la creación de comunidades solares con equipos en los techos, y el esfuerzo lo tienen que liderar los grupos de la sociedad civil. Muchos temen que la red eléctrica de Puerto Rico, en especial las líneas de transmisión no aguanten el embate del próximo huracán, que podría llegar en cualquier momento.

el 3 de octubre de 2018

AUTOAYUDA PARA NAVEGAR PELÍCULA CASERA DE SEIS MESES Y TODAS LAS CRISIS AL TIEMPO

Mari Mari Narváez

Tomé fotos esos meses del huracán. Fotos nimias, nada artísticas, ni siquiera interesantes. Confío poco en mi memoria, y sabía que todo aquello sería irreproducible a lo largo del tiempo. No eran fotos de la destrucción ni de la desgracia. No. Tomé fotos de aquella postración inédita, su languidez, de la oscuridad y la sed, del calor, fotos de la paciencia y el desasosiego. Hasta del tenernos, de los baños fríos a cualquier hora, de una brisita incipiente que en algún momento comenzó a aliviarnos, de la inestabilidad y el no saber nada tomé fotos. Del temor. Luego ya no tomé fotos de todo lo que empezó a surgir. Los huracanes los recuerdo siempre como épocas suspendidas de la vida, un tiempo de acción lenta y memorable que yo sé que un día, dentro de muchos años, aún invocaré casi sin audio -apenas alguna palabra clave lanzada entre escenas sin editar- como una película casera y vieja que solo alguien de su tiempo insiste en observar.

Aún así, este huracán no tiene equivalente en mi memoria. Ya van seis meses que parecen seis años. Tengo luz desde noviembre. Una dice eso hoy día y te acusan de privilegiada. Hay algo ahí. Divago. Decía que van seis meses. Otro anciano murió en Morovis el día que se cumplió ese medio año. Necesitaba un respirador artificial y su comunidad está "sin luz desde Irma", una frase que se ha vuelto la más extrema, realmente abominable.

Una de las cosas más violentas del mundo es tener que continuar la vida diaria sabiendo todo lo que ha pasado. Sabiendo que viejos y viejas han muerto de sed, de hambre, de falta de atención médica en nuestro país porque no hubo ayuda a tiempo. Eso no tiene perdón. ¿Quién va a hacerse responsable de lo que ocurrió aquí? ¿Cómo ha podido ser? ¿Eres de quienes se culpabilizan diciendo que lo hemos permitido? ¿O eres de quienes recuerdan que nosotros mismos, eso llamado "el pueblo", "las comunidades", "la gente", fuimos los únicos que evitamos una hecatombe mayor? ¿Realmente podíamos evitar este desastre? ¿Cómo? ¿Convenciendo a alguien de otra cosa? ¿Escribiendo, repartiendo miles de boletines? Es cierto que los muertos hubiesen sido muchísimos más, de no ser por las miles de personas que se movieron aquí y allá para ayudar. ¿Pero y qué tal la gente que no estaba muerta pero ya vivía muy mal? Gente a la que se le fue el techo pero tú llegas a su casa y sabes que allí ya se malvivía, se subsistía a muy duras penas desde antes. Las ciudades son un fenómeno escondiendo la pobreza.

Aún quienes ya tenemos luz, todavía estamos resolviendo cotidianamente los efectos de ese y todos los huracanes subsiguientes. Pero este tampoco es el punto. Busco decir que esa película vieja, casi muda, no se me borra de la sensacionalidad. Hay un mareo, un vacío que vuelve bastante. A menudo regreso a ese tiempo suspendido, a los episodios lacónicos, a la incredulidad más lenta del universo.

Hace años vengo escribiendo sobre cómo la felicidad en nuestro país es un asunto cada vez más privado. Por años invertimos en ampliaciones de terrazas, barbacoas, sillas sobre sillas de plástico, hasta piscinas o parcelas cerca de la playa o el campo. Pero el punto es que invertimos en todo eso a falta de una inversión pública en proyectos colectivos.

Ahora, las ruinas de aquel país que fuimos dejando afuera nos subrayan esa condición de la parcela privada, de la felicidad a puerta cerrada, íntima, a cuentagotas, en que hemos vivido por años. Nuestras crisis (económicas, fiscales, políticas, sociales) ahora llevadas más allá del límite con los efectos de la negligencia crasa ante el desastre climático, son mucho más monstruosas que esas terrazas y marquesinas con sillas plásticas que habíamos armado. Ya rompieron puertas y ventanas, otras se colaron por las grietas y rendijas, pero inundaron nuestros aposentos. Nuestras crisis son fatales pero tienen algo peor que su propia naturaleza: una administración pésima, violenta, infrahumana, insostenible.

Al menos de mi parte, ha ocurrido lo que nunca pensé: ahora me la paso leyendo artículos sobre cómo evitar deprimirse con todo lo que está pasando (en el mundo, en EEUU, en Puerto Rico). Yo, que toda la vida hablé con tanto desdén de la literatura de autoayuda, ahora colecciono estos artículos, a mi (nuevo) entender valiosos. Para contrarrestar el pudor con entereza, he ido armando mis propios consejos, que compartiré con ustedes solo para darle a este artículo un tono un chin menos tétrico, una nota de futuro. Ojalá puedan añadir sus propias estrategias de autoprotección y lucha para otro presente.

- Recordar y honrar a nuestros ancestros luchadores. Ellas y ellos pasaron por mucho más que esto. A los míos, los honro a diario. A veces es tan mala la situación, que debo honrarlos a cada hora, en cada momento. Parte de honrarlos es también consolarme con que no estén aquí sufriendo este tiempo tétrico.
- Proteger nuestras relaciones. Lo más preciado que tenemos son nuestras buenas relaciones: el amor, la familia, las amistades. Hay que cuidarlas, darles el tiempo y la importancia que tienen.
- Organizar la rabia, el dolor, la indignación. No actuemos a solas. Busquemos unirnos a algún grupo u organización aunque sea pequeño o crea uno propio. Aporta tu talento y tu malestar a una de las múltiples causas que nos han dejado las crisis.
- Puerto Rico tiene hoy una lista larga de enemigos reales. Es importante ser críticos entre nosotros pero, en este momento, enfocarse y no desperdiciar la energía es vital. Hay que mantener los cañones enfilados hacia esos enemigos, no hacia los amigos ni hacia la gente que lucha ni hacia organizaciones que a lo mejor no te gustan o no te inspiran confianza pero que, definitivamente, no son los enemigos.
- No es momento de aspirar a la perfección. Tampoco es momento de vivir vicariamente el proyecto que siempre quisiste crear y no has creado, mediante la crítica minuciosa y constante a un proyecto similar. Cada grupo y organización tiene un rol, un propósito. No podemos pretender que esos roles y posiciones sean todos los mismos ni que ciertos grupos asuman la agenda que nosotros entendemos deben asumir. Cada quien va a actuar según su agenda y esta no necesariamente coincidirá con las demás. Lo importante es poder buscar lugares lo suficientemente comunes en esas agendas diversas.

- En estos días trato de tener más compasión con la gente cercana, con colegas, compañeros e incluso con gente con la que difiero pero cuyo trabajo es importante y merece respeto. De nuevo, a veces me pierdo pero trato de guardar toda mi ira y malestar para atacar (de distintas formas) a los que atacan la integridad y posibilidad de nuestro País.
- Bajarle dos (o diez) a la inmersión en las redes sociales ayuda mucho. De nuevo, hay que guardar y enfocar bien las energías y las redes consumen demasiada, muchas veces sin un fruto lo suficientemente sustantivo.
- Hay que buscar la esperanza donde sea que esté. Hay muchos grupos y organizaciones haciendo una gestión extraordinaria. Apoyémoslos. Toda ganancia es buena y, si crece o es constante, puede ser inspiradora.
- Hay que obligarse a hacer las cosas sencillas que a una le gustan y le ayudan a sentirse mejor. Hacer ejercicios, ir a la playa, explorar la naturaleza, caminar un poco para despejar la mente, subir una montaña, leer, tomarse un café con alguien, hasta darte un baño largo.
- Compartir lo que tenemos. Hay mucha gente pasando necesidad. En momentos así, es bueno pensar en la red de la araña. ¿Qué puedo hacer por esta persona para ayudarla a no caer? No hablo solo de cosas materiales. Hablo de apoyo emocional, atención médica (si eres médico o enfermera, por ejemplo), acompañamiento, hacer comida de más y compartirla, pagar un café pendiente si puedes hacerlo. La consigna es no dejarnos caer. Fortalecernos para resistir y transformar esta realidad, aunque haya que empezar de nuevo, ya no de las cenizas sino de los escombros.

octubre del 2018

(Publicado con permiso de la autora. Publicado 27 de marzo de 2018 en *Periódico Claridad,* suplemento cultural *En Rojo,* sección 'Será otra cosa')

ACABAR CON EL COLONIALISMO

Roberto José Thomas Ramírez

No es sólo acabar con el daño que hace el amo, sino acabar con la esclavitud, en ese sentido, entiendo que es igualmente posible acabar con la colonia sin acabar con el colonialismo.

Soy uno de tantos y tantas en Puerto Rico que se crio escuchando, la mayor parte del tiempo en silencio, de que éramos unos mantenidos, cuponeros, vagos y otras descripciones para marcar lo que para ellos, particularmente la clase media, demostraba nuestra inferioridad. Sin embargo, como muchxs supe lo difícil que era conseguir trabajo. También presencié las peripecias administrativas de mi madre, que hacia alquimia cada vez que había que gestionar comida, utilidades, transportación y tratar de hacer que los nenes se divirtieran de vez en cuando. Soy parte de quienes fueron aconsejado evitar a la policía que incursionaba violentamente en las comunidades y de quienes enfrentaban constante rupturas de amistades.

Parece lógico concluir que si el Estado es desde donde se toman las decisiones que nos afectan pues es el Estado el que debe ser el mayor recipiente de nuestras acciones a la hora de organizar actividades para transformar esa realidad. Luego, con el tiempo, se pasa a entender que no sólo es el Estado, que detrás de él hay personas ricas y poderosos e intereses financieros que controlan y se benefician de toda la injusticia. ¿Quiénes son esos grandes intereses? ¿Qué quieren?

En esa búsqueda comencé a dialogar entre compañerxs y amistades sobre la posibilidad de enfocarme en trabajo comunitario; me involucré en varios esfuerzos y conozco al compañero, amigo y hermano Nelson Santos Torres. Es así que llegue a IDEBAJO, la Iniciativa de Ecodesarrollo de la Bahía de Jobos, una organización regional de base comunitaria que se compone de diversas organizaciones del centro sureste de Puerto Rico (particularmente Salinas, Guayama y Arroyo) y de otras organizaciones ambientales, culturales y de pescadores de la zona. IDEBAJO busca facilitar un espacio de planificación y desarrollo regional que posibilite respuestas comunitarias endógenas a los problemas sociales, económicos, culturales y políticos de la zona.

La región sureste del país ha sido históricamente sujeta a un sinnúmero de acumulaciones de injusticias. Un breve paseo por la carretera número 3 en el litoral costero entre Guayama y Salinas develará evidencias de todas las apuestas económicas por los últimos 150 años. Se encuentran allí los restos del monocultivo de caña con sus haciendas y centrales, y su organización urbana, laboral y social, a partir de clases, razas y género en función de los intereses de la producción azucarera. Luego vino la apuesta a las petroquímicas, con los desplazamientos de comunidades, la contaminación y daños a la salud, entre muchos otros problemas. Más tarde vinieron las farmacéuticas, con el uso de los acuíferos, las tierras y la mano de obra especializada para producir medicamentos que dejarían el país. Finalmente, la biotecnología, particularmente las empresas de experimentación de organismos genéticamente modificados, mejor conocidas en la zona como 'semilleras', que ocupan grandes porciones de la mejor tierra agrícola para experimentar con semillas, no producir comida, explotar los acuíferos, contaminar la tierra, y enfermar a los trabajadores. Además desde los años 2000, la región carga con la presencia de la corporación AES, que con su pretexto de producir energía más barata a base de carbón, enferma y contamina el aire, la tierra y el agua de todo el litoral, encima de envía sus cenizas por todo el país dispersando aún más su contaminación.

IDEBAJO es heredera de muchas luchas y procesos organizacionales que responden a esta explotación histórica.

Enfoque, aprendizaje y desarrollo

El cierre definitivo de la Central Azucarera de Aguirre en 1990 marcó un momento importante en el desarrollo de IDEBAJO. El desempleo aumentó a más de 40 por ciento y las perspectivas para otros empleos fueron pésimas. En repuesta decenas de organizaciones se reunieron en Salinas para considerar enfoques para el desarrollo del área que serían definidos por y para los residentes. Era un llamado a la autodeterminación, al desarrollo endógeno local, al fortalecimiento de autonomía regional frente a los intereses y las políticas que no responden a las necesidades locales.

Esta experiencia proporcionó aprendizajes y perspectivas que IDEBAJO ha integrado como parte de sus principios, valores y agenda de trabajo. La organización continúa reclamando el derecho de las comunidades a transformar su realidad moviéndose de la protesta a la propuesta. Pero no se trata de una propuesta que la organización le da al Estado, sino más bien el desarrollo de propuestas colectivas para nosotrxs mismxs, reconociendo que las respuestas trascendentales que cambian la historia provienen de los sectores y poblaciones que han vivido los efectos más terribles de la explotación y que pueden contribuir alternativas que confronten y rediseñen el modelo existente de deshumanización.

Se trata de construir poder desde abajo a través de la acción colectiva. Esta idea es fundamental y está relacionada con el desarrollo de modelos, capacidades, estructuras y proyectos que fortalecen la autonomía de la comunidad contra las fuerzas políticas y económicas que mantienen a la población en un círculo vicioso de condiciones injustas. Es muy complejo cambiar las cosas si las únicas alternativas de supervivencia son las mismas que generan la realidad de la pobreza, la exclusión, las enfermedades y la contaminación. Para reconfigurar la región en una que fomente otra forma de vida, debe haber alternativas distintas a las que existen.

Tenemos que reconocer los saberes y capacidades de nuestras comunidades y aceptar que está en nuestras manos el desarrollo justo de nuestras vidas. Por eso hablamos de desarrollo endógeno local. El proceso debe ser a la vez lo más colectivo, democrático y descentralizado posible, practicando el respeto por la autonomía de cada iniciativa, pero también coordinándose entre sí.

Presente

Actualmente IDEBAJO ha incrementado su ritmo de trabajo. El huracán María tuvo alguna influencia, pero realmente los huracanes más dañinos ya habían pasado, los de la injusticia ambiental, la pobreza y la exclusión. María sólo tumbó las tormenteras pintadas que tapaban para algunos la realidad dolorosa. Al presente IDEBAJO ha retomado y aumentado el espectro de varios proyectos entre los que se encuentran:

- *Construyendo Solidaridad desde el Amor y la Entrega* busca trabajar con la reconstrucción de casas rescatando la experiencia histórica del proyecto Ayuda Mutua y Esfuerzo Propio en el que muchas viviendas fueron construidas con el esfuerzo colectivo de las comunidades que ponían la mano de obra mientras el Estado aportaba los materiales. El proyecto facilita el desarrollo de una experiencia que fortalece sus oportunidades de empleo y posibilita relaciones intergeneracionales horizontales.
- *Huertos Caseros Comunitarios* y pescaderías, pretende desarrollar un circuito intercomunitario de siembra e intercambio de alimentos que permita el acceso justo y saludable. A través de una combinación de hidroponía, bancos, granjas y pescaderías, los proyectos mejoran el empoderamiento de las comunidades en el tema de la generación de alimentos al tiempo que demuestran que parte del problema es el acaparamiento de tierras y la disparidad en el tratamiento de los agricultores.
- *Coquí Solar,* como un proyecto a escala regional, pretende crear un sistema colectivo comunitario de producción de energía a base de tecnología fotovoltaica en los techo de las casas. Además tendría los beneficios de generar empleos y movernos a energía limpia sin comprometer nuestras tierras fértiles.
- *Guías intérpretes ambientales y Casa Aguirre,* un proyecto de turismo sostenible en que la propia comunidad es gestora de actividades de turismo —para su propio beneficio económico— tomando en cuenta la importancia y belleza natural de la región. Mediante esfuerzos colectivos se ha logrado certificar a jóvenes y adultos como guías intérpretes, generar una serie de recorridos programados mensualmente y diseñar una serie de proyectos de hospedería.
- Programa radial *Desde el Barrio.* Se transmite por Radio WHOY 1210 en Salinas y ha permitido la exposición y análisis desde nuestras comunidades mientras forma parte de un proyecto más amplio de formación.
- *Escuela de formación y capacitación comunitaria.* IDEBAJO lleva mucho tiempo analizando y reconociendo la necesidad de organizarnos colectivamente en estruc-

turas que nos lleven a cambiar como individuos y como comunidad, para propiciar transformaciones en las relaciones de poder y dinámicas sociales.

Vamos poco a poco generando una práctica que surge del trabajo cotidiano con las miras de aportar alternativas desde el territorio que nos tocó cuidar y vivir. Como nos recuerda una de nuestras compañeras, Leticia Ramos "A problemas sociales, respuestas comunitarias".

Conclusión

Vivimos una realidad colonial que tenemos que superar. Es necesario entender el fenómeno colonial desde una perspectiva más amplia que la dominación político-jurídica entre dos países, porque es más bien un complejo de funciones y concepciones que se manifiestan, y tienen expresiones y aplicaciones institucionales, espirituales, psicológicas y colectivas. En Puerto Rico no se trata solamente de resolver la relación político-jurídica con Estados Unidos sino gestionar estrategias que nos permitan descolonizarnos, construir relaciones, estructuras, políticas, organizaciones económica, social y cultural que no reproduzcan la relaciones de dominación, interiorización, racialización y discriminación que heredamos de nuestra historia y llevamos asumiendo. Ideas que hemos estado internalizando y practicando durante siglos desde el punto de vista de lo que nos falta, de lo que no somos, de lo que otro tiene que lo hace mejor, más civilizado, más blanco, más macho, más americano, o más desarrollado. Tampoco se trata de una pelea entre novoprogresistas, populares o pipiolos.[1] Si se trata de cómo nos construimos un horizonte de vida propio que responda a nuestra realidad histórica, geográfica, natural, cultural, emotiva, psicológica y relacional, que sea bueno para todos y todas y que se genere desde lo que sabemos, tenemos, podemos y queremos.

Nuestros esfuerzos a transformación social van a lo humano y a atender las deudas históricas que venimos arrastrando y al sistema perverso que las reproduce ofreciendo privilegios a unos

---

1 Los tres principales partidos políticos en Puerto Rico: PNP, Partido Nuevo Progresista; PPD, Partido Popular Democrático; PIP, Partido Independentista Puertorriqueño.

sobre el sufrimiento, el despojo y deshumanización de otros. Ese trabajo no se hace desde el Estado, ni desde los tribunales, ni solo con manifestaciones que no tengan raíz en lo cotidiano.

No es posible utilizando las herramientas de poder que reproducen y condonan la dominación de unos por otros. Tenemos que construir colectividad y nuevas realidades desde nuestra capacidad, necesidades y aspiraciones. Vamos a construir desde abajo, desde los sectores más excluidos e ir generando poder nuevo desde ahí. Escuchar y atender los principios naturales que nos enseñan estas cosas y hacer un país que trabaja para la vida, para el amor y la felicidad.

En esto todas y todos tenemos tareas y roles que asumir y respetar, evitando cualquier enfoque o acción que aleje a las personas o reemplace la tarea de crear poder para las personas.

Aportemos a construir un Puerto Rico que practique un poder emancipador, que se relacione desde la solidaridad, que practique el amor como principio organizador, que posibilite las felicidades y cuide la vida por sobre todas las cosas. Sabemos que es posible.

diciembre del 2018

MANIFIESTO DE LA EMERGENCIA
Y LA ESPERANZA

Junte Gente

HASTA AQUÍ

Estamos ante un cruce de caminos. Puerto Rico sufre una emergencia política, económica, ambiental y social sin precedentes. Cada día más personas sienten la urgencia de juntarse, entrelazar esfuerzos y tomar acciones concertadas que giren el rumbo de nuestras vidas colectivas. Hacemos un llamado a quienes comparten la frustración, el dolor y la angustia causada por el rumbo que ha tomado nuestro país; a quienes han asumido con amor y esperanzas la responsabilidad sobre sus aguas, tierras, aire, barrios, urbanizaciones, escuelas, viviendas, instituciones; a quienes sienten las ansias de trabajar para el bien común, a encontrarnos en camino a gestar un país más solidario, justo y democrático donde podamos vivir en armonía con la naturaleza. Hacemos un llamado a todas las personas que, reconociendo la crisis, apuestan a la esperanza.

La crisis descomunal que enfrentamos no es culpa del huracán María, sino el resultado de décadas de políticas públicas equivocadas, y de acciones de políticos corruptos que en vez de usar el poder que les delegamos para velar por el bienestar de todos y todas, se han dedicado a enriquecer sus bolsillos, los de sus amistades y los de los grandes intereses financieros. Ese camino se ha caracterizado por el saqueo, la impunidad, la privatización, el abandono y la mala administración de los bienes comunes y los servicios esenciales del país.

Así, políticas erradas, personas corruptas y una estructura de poder desmedido nos han dejado:

- un sistema de salud a merced de un pequeño grupo de aseguradoras privadas, que cada vez rinde menos y peores servicios, dejando a médicos, pacientes y cuidadores/as asfixiados/as;
- una infraestructura de energía eléctrica, acueductos y carreteras deteriorada y abandonada;

- un sistema de educación pública diseñado para el fracaso y que ahora pretenden privatizar, cerrando centenares de escuelas, despidiendo miles de maestras y maestros, y transfiriendo los fondos públicos a un puñado de compañías privadas;
- una universidad pública marcada, acorralada y limitada por el partidismo político y las medidas de austeridad;
- una agricultura achicada, dominada por prácticas que amenazan los suelos, el agua, el aire, y la salud integral de trabajadores/as agrícolas y consumidores;
- una sociedad incapaz de proteger a sus ancianos y ancianas del abandono, a las mujeres y las personas LGBTTIQ [Lesbianas, gays, bisexuales, transexuales, transgénero, intersexuales y queer] de la violencia de género y a la niñez del maltrato; incapaz de socorrer a las miles de personas sin techo, sin alimentos, sin ingresos y sin esperanzas;
- una sociedad donde las tierras, las aguas, el aire y hasta el sol están a merced de intereses particulares inescrupulosos.

Por si eso fuera poco, nos quieren imponer más austeridad a nombre de una deuda impagable e insostenible, aún sin auditar, que tiene todas las señas de ser una deuda ilegítima ante el derecho internacional. El gobierno de Estados Unidos ha nombrado una Junta de "Supervisión" Fiscal con enormes poderes, salarios obscenos, plagada de conflictos de intereses, que no responde ni vela por los intereses del país. Mientras la riqueza que producimos se desvía a los bolsillos de funcionarios con sueldos no comparables a nivel global, de las grandes multinacionales, de los bancos de Wall Street y de los fondos buitres, crece el número de gente empobrecida y desempleada. Así como salen las riquezas, cientos de miles de habitantes se ven forzados a abandonar el país todos los días.

Las propuestas del gobierno y de la Junta de Control Fiscal no son nuevas. Ya sabemos que:

- Nos quieren imponer más de las mismas medidas que no han funcionado aquí ni en ningún otro país donde se han aplicado.
- La privatización a mansalva de nuestros recursos no es la solución. Décadas de privatización y mano libre a la

empresa privada sólo nos han dejado más inseguridad laboral, menos ingresos, menos protecciones, menos derechos.

- El desmantelamiento de las instituciones públicas nos ha arrebatado las pocas garantías con las que contábamos; y niega la urgencia de erradicar la desigualdad en este país.
- La venta de las instituciones públicas que quedan y los recursos naturales aumentará nuestra vulnerabilidad y nos dejará totalmente a oscuras sobre cómo se usa el dinero que le damos al Estado cada vez que pagamos un impuesto.
- Si no cuidamos de la naturaleza, la naturaleza no puede cuidar de nosotros y nosotras.

Este mal camino nos ha legado una sociedad en la que la desigualdad, la competencia y la marginación reemplazan la solidaridad, la justicia y la democracia. Los huracanes Irma y María agudizaron nuestra vulnerabilidad ante la corrupción y la impunidad rampante, pero también nos abrieron otro rumbo que podría cambiar nuestro presente y futuro. En medio de la debacle, redescubrimos que nos salvamos los unos a los otros; en medio del abismo, reabrimos el camino de la solidaridad.

DE HOY EN ADELANTE

¿Qué hacemos ante este panorama?

Los y las aquí firmantes hemos asumido nuestra responsabilidad sobre nuestras personas, comunidades, instituciones, retos y sueños. Les aseguramos que otro país es posible, necesario y urgente. Las personas y organizaciones que firmamos este manifiesto estamos comprometidas a luchar por un Puerto Rico basado en la justicia social y en la solidaridad. Nos levantamos como pueblo, no para reconstruir el país desigual que teníamos antes del huracán María, sino para construir un Puerto Rico verdaderamente digno donde quepamos todos y todas.

Para lograr el país que soñamos nos comprometemos a trabajar a favor de estas condiciones de vida:

1. Respeto y garantía de todos los derechos humanos y civiles;

2. Equidad para las mujeres que permita su desarrollo humano pleno y la construcción de relaciones sociales y familiares de paz y respeto;
3. Garantía de servicios esenciales a todas y todos por igual;
4. Modelo económico justo y ecológicamente sostenible:
    - que proteja los recursos naturales para ésta y las generaciones futuras;
    - que rechace la acumulación de riquezas por unos pocos a expensas del empobrecimiento de la mayoría y la explotación de la naturaleza;
    - que promueva el desarrollo humano, proteja a sus trabajadores y trabajadoras con salarios justos, condiciones de trabajo equitativas y seguras, y retiros dignos;
    - que cuide, apoye y proteja la actividad económica local antes que al capital global;
    - que garantice el derecho de toda persona a una vida digna, con un techo seguro, una sana alimentación, promoción de la salud, y la educación;
5. Energía limpia, basada en recursos renovables, y administrada desde las comunidades para alcanzar la soberanía energética;
6. Desarrollo de infraestructura sostenible, con enfoque en la justicia climática y en la justicia espacial;
7. Manejo integrado, sostenible y sustentable de los residuos sólidos, bajo los principios de Basura Cero Agroecología como modelo de gestión y educación:
    - que promueva la participación comunitaria;
    - que proteja el acceso libre y responsable al suelo, al agua y a la tierra para alcanzar la soberanía alimentaria;
8. Un sistema universal de salud basado en el bienestar común y justicia para todos y todas (incluyendo a las personas con necesidad de servicios, profesionales de la salud y cuidadores y cuidadoras), que garantice acceso personal a servicios de salud, la atención a la salud pública, y a los aspectos sociales que afectan la salud;
9. Acceso universal a un techo seguro, sostenible y digno;

10. Acceso universal y gratuito a la educación primaria, secundaria, superior y universitaria, vista como un derecho y como un bien público;
11. Acceso universal a la recreación y al ocio;
12. Descolonización en todas sus manifestaciones: política, económica, cultural, social e ideológica.

ANTES DE MAÑANA

Junte Gente reconoce y abraza a la gente que trabaja para hacer realidad visiones de país cónsonas con lo que esbozamos aquí. Muchas personas, organizaciones, colectivos, frentes, coaliciones e instituciones, llevan décadas dialogando, soñado, organizando, actuando para gestar el país que queremos. Tenemos los anhelos, los recursos, las propuestas, las ganas. Nos falta la acción concertada.

Pero el tiempo de los capitalistas del desastre nos traiciona. Si no detenemos los planes del gobierno, la Junta, los bonistas, los buitres, y los puertopians ultra-ricos, venderán y acapararán todo lo que esté a su alcance, y perderemos las bases necesarias para tener el país que queremos. Es por esto que ante esta emergencia hacemos un llamado a la esperanza. Hacemos un llamado a entrelazar esfuerzos y resistir para transformar nuestro país. El momento es ahora.

Desde el 2 de junio de 2018 estamos juntándonos en asamblea permanente para dialogar sobre los asuntos centrales a una visión amplia de país. Nuestro objetivo es entretejer esfuerzos para construir ahora la sociedad y el país que nos merecemos. ¡A juntarse!

2018

Para ver una lista de las organizaciones que han firmado este Manifiesto, visite:http://juntegente.org/manifiesto/

PERDÓN, PERMISO

Giovanni Roberto Cáez

Para adelantar cambios profundos en Puerto Rico, la expresión popular "es mejor pedir perdón que pedir permiso" tendrá que crecer por toda la isla. En realidad lo hace ya en algunos espacios de la mano de un emergente movimiento de autogestión radical que amenaza con ganar fuerza tras el paso del huracán María.

Una de las expresiones de esa emergencia lo son los Centros de Apoyo Mutuo (CAM), espacios de gestión popular de necesidades con la perspectiva de construir comunidades nuevas. Tras el "apoyo mutuo" se esconde una posición antisistema, pues en Puerto Rico el asistencialismo colonial lleno de caridad ha sido una de las bases ideológicas con las que se amarra a la población y se sostiene el Estado.

Con el "mejor pedir perdón que permiso", en Las Carolinas, Caguas, un grupo de residentes de todas las edades tomaron la cerrada en mayo de la Escuela Elemental María Montañez Gómez y la convirtieron en el Centro de Apoyo Mutuo de Las Carolinas. También en Caguas, los miembros del primer CAM de la isla, arreglan a buen ritmo las facilidades de lo que fue hace treinta años las Oficinas del Seguro Social. En Las Marías, otro grupo diverso de residentes del Barrio Bucarabones toman su escuela cerrada hace quince años y la convierten poco a poco en un CAM. Y en otras comunidades o proyectos se discute qué espacio rescatar, qué escuela abrir para arreglar o cómo gestionar de la manera más independiente.

Algo tiene de poesía, por cierto, eso de que muchos espacios rescatados hoy para ensayar el desarrollo de un nuevo poder popular hayan sido alguna vez espacios que pertenecían al Estado Libre Asociado de Puerto Rico o al Estado Federal de Estados Unidos. Parece señalar mejor que otra cosa la bancarrota real y moral de éstos frente a unas poblaciones marginadas por el abandono organizado y consistente de estos gobiernos bajo el manto económico del neoliberalismo, eso de *privatízalo todo, conviértelo todo en mercancía, vende, acumula, gana solo para ti.*

La autogestión radical que renace con impulso tras el huracán María en realidad no pide perdón ni permiso, sobre todo porque anda haciéndose a plena luz del día, en comunicación abierta con la población y sostenida estrechamente por nuestra diáspora, nuestro exilio. ¡La nación viva!

Es algo que habíamos vivido en el proyecto Comedores Sociales de Puerto Rico, pues en estos cuatro años de difícil gestión, la UPR nos ha pedido licencias, papeles, permisos y nosotros nunca hemos podido presentar nada de eso. No porque no queramos, para ser honesto, pero es que no hemos podido porque operamos con pocos recursos y como todo el mundo sabe, "aquí puede el que más tiene."

Sin pedir perdón ni permiso, los comedores sociales siguen consolidándose poco a poco en la UPR por la combinación de un modelo de aportaciones que hace sentido para las personas— materiales, trabajo o dinero— y porque soluciona una necesidad básica para todas las que llegan a las mesas de comida. Ahora este modelo está teniendo otra expresión en la isla con los Comedores Comunitarios.

En alguna ocasión, en UPR Cayey, Patentes Municipales y Hacienda intentaron multarnos. Tiempo después, en esa misma UPR, un corillo de guardias universitarios intentó sin éxito detener una repartición de alimentos. En otras pocas, en UPR Río Piedras, usando la amenaza, las Cartas Circulares, algunas Decanas y personal administrativo, intentaron disuadir la gestión alimentaria por la vía burocrática. En todas estas experiencias fuimos fortaleciendo un argumento central a lo que hacemos: la solidaridad entre las personas no puede ser regulada por el Estado.

Por eso debemos insistir en una nueva manera de entender y hacer política en Puerto Rico. Una política que sin pedir perdón ni permiso a nadie, escuche con paciencia las necesidades de la población y ayude con creatividad a organizarla de modo tal que puedan convertirse, porque no, en gestiones antisistema, pues sabemos ya que el sistema en el que vivimos es totalmente anti personas.

Una política que sin perdón ni permiso rete a ciertos sectores de la clase media progresista a hacerse a un lado y que dejen de intentar representar a los de abajo, hablar por ellos. Esa clase media ha sacado ventaja toda la vida de su posición de clase, de sus privilegios, para hacerle creer a las y los pobres que sin ellos y ellas no podremos derrotar nunca a nuestros opresores. Su esfuerzo es siempre interactuar con el gobierno, tirarle a los políticos, mostrarse como una opción más viable que los otros. En todo caso el rol de los pobres es darle las gracias. ¡Mierda es!

Una política que sin perdón ni permiso rete también a la izquierda tradicional de la que vengo, pues hacer política anti sistema no consiste siempre en el piquete y la marcha o la democracia de los círculos y las manos. El debate de nuestro tiempo es de algún modo muy clásico, pues tiene que ver con cuál será nuestra estrategia principal de cambio para la próxima década para lo cual estamos obligados y obligadas a reinventarnos y desarrollar un método de trabajo, que hasta el momento en esta experimentación que llamamos CDPEC se resumiría así: escuchar primero que todo, trabajar con las necesidades de las personas, actuar con firmeza y sacrificio, y claro, no pedir perdón ni permiso.

noviembre del 2017

ACKNOWLEDGEMENTS

Voices from Puerto Rico: Post-Hurricane María was inspired by the tireless spirit of community activists, grassroots organizers, and people who took on the rebuilding of the island immediately after the passage of the most devastating cyclone that has touched Puerto Rico in almost a century. I am honored to present this collection, and it is my hope that it will inspire others.

First and foremost I thank the contributors who had faith in the project and submitted their writings and reflections; my heartfelt thanks to Amara Abdel Figueroa, Rafael Cancel Miranda, Mariela Cruz, Sarah Dalilah Cruz Ortiz, Ismael "Kique" Cubero Garcia, José Ernesto Delgado Hernández, Raquela Delgado Valentín, Roberto A. Franco Cardona, Yasmín Hernández, Alberto Martinez-Márquez, Arturo Massol Deyá, Mari Mari Narváez, José Orraca-Brandenberger, Ana Portnoy Brimmer, Maite Ramos Ortiz, Roberto Ramos-Perea, María del Mar Rosa-Rodriguez, Maricruz Rivera Clemente, Giovanni Roberto Cáez, Ruth Santiago, Roberto José Thomas Ramírez, and Ana Teresa Toro. I also thank Junte Gente for submitting their manifesto and acknowledge CivicEats.com and LaborNotes.org for granting permission to reprint their interviews. A special thank you to María del Mar Rosa-Rodriguez for providing photographs.

I'm grateful to many persons who believed in the project and the advisors who assisted me through the various phases of developing and completing the book. I thank my compañero José Ángel Figueroa who encouraged the idea from the start and provided ongoing and valuable editorial advice that helped shape the content. I'm deeply appreciative for the time he gave to editing writings, commenting on selections, and connecting the project with writers in Puerto Rico. I also thank Ángel Antonio Ruiz Laboy, author and educator from Ponce, Puerto Rico, who supported the project from the beginning and introduced it to an extensive list of artists and activists on the island. His insightful feedback and editing strengthened the collection. I thank Martha Arguello, professor of Africana and women's studies, for serving as a resource and patiently editing drafts. Also Edgardo Miranda

Rodriguez, artist and founder of SomosArt, for providing suggestions for the book's production and design, and for promoting the project to grassroots activists in Puerto Rico.

My commitment to produce a bilingual book led me to Laura Virella and Miriam Browning-Nance of Language Divas. I'm grateful for their enthusiasm, expertise, and diligence. The meticulous attention and care they gave to each selection created beautifully nuanced translations. It was a pleasure to work them.

Lastly, I thank the friends and colleagues who offered ideas and assisted with outreach activities in Puerto Rico and the United States. Proceeds from the book will go to further this work.

Voices from Puerto Rico is a collaboration of activists and artists to keep visible the island's conditions and circumstances. It collectively affirms, "Tengo a Puerto Rico en mi corazón," and urges support to grassroots groups organizing from the bottom up for a nation free from colonialism and exploitation.

AGRADECIMIENTOS

Voces desde Puerto Rico: pos-huracán María surge a raíz del espíritu incansable de activistas comunitarios, organizadores de autogestión y gente común que se dieron a reconstruir la isla inmediatamente después del paso del ciclón más devastador que ha tocado tierra puertorriqueña en casi un siglo. Me siento honrada de presentar esta colección y espero que inspiren a otros.

El mayor agradecimiento se lo debo a todos los contribuyentes que tuvieron fe en el proyecto y presentaron sus escritos y reflexiones; gracias de todo corazón a Amara Abdel Figueroa, Rafael Cancel Miranda, Mariela Cruz, Sarah Dalilah Cruz Ortiz, Ismael "Kique" Cubero Garcia, José Ernesto Delgado Hernández, Raquela Delgado Valentín, Roberto A. Franco Cardona, Yasmín Hernández, Alberto Martinez-Márquez, Arturo Massol Deyá, Mari Mari Narváez, José Orraca-Brandenberger, Ana Portnoy Brimmer, Maite Ramos Ortiz, Roberto Ramos-Perea, María del Mar Rosa-Rodriguez, Maricruz Rivera Clemente, Giovanni Roberto Cáez, Ruth Santiago, Roberto José Thomas Ramírez, y Ana Teresa Toro. También agradezco a Junte Gente por enviar su manifiesto y a CivicEats.com y LaborNotes.org por autorizar la reimpresión de sus entrevistas. Hay que hacer mención especial a María del Mar Rosa-Rodriguez por incluir sus fotos.

Estoy sumamente agradecida a todas las personas que creyeron en el proyecto y a los asesores que me aconsejaron y ayudaron con las varias fases que conllevaron el desarrollo y culminación del presente libro. Mi compañero, José Ángel Figueroa alentó la idea desde el principio y brindó un asesoramiento editorial continuo que ayudó a configurar el contenido. Estoy profundamente agradecida por el tiempo que dedicó a editar escritos, a comentar sobre las selecciones, y a conectar el proyecto con escritores en Puerto Rico. Doy las gracias también a Ángel Antonio Ruiz Laboy, autor y educador ponceño, quien endosó el proyecto desde su incepción y lo presentó a una larga lista de artistas y activistas en la isla. Supe que podía contar con él y confiar en su perspectiva y comentarios perspicaces. Su punto de vista brindó mayor coherencia y firmeza a la colección. Agradezco además a Martha Arguello, profesora de Estudios Africanos y Estudios de Género quien se ofreció como recurso y editó con paciencia borradores de escritos. Y doy las gracias a Edgardo Miranda Rodríguez, artista y fundador de SomosArte, por sus sugerencias para la producción y diseño del libro y por dar promoción al proyecto entre activistas en Puerto Rico.

Mi compromiso con la publicación de un libro bilingüe me condujo a Laura Virella y a Miriam Browning-Nance, el equipo de *Language Divas*. Les agradezco su entusiasmo, pericia y diligencia. La importancia y atención meticulosa brindada a cada obra redundó en traducciones hermosas y repletas de matices. Fue un placer trabajar con ellas.

Por último, agradezco al sinnúmero de amigos y colegas que ayudaron con una gran gama de actividades para ampliar el alcance del proyecto en Puerto Rico y Estados Unidos. Las ganancias generadas mediante el libro promoverán este trabajo.

.*Voces desde Puerto Rico* es una colaboración llevada a cabo por activistas y artistas con la intención de mantener visibles las condiciones y circunstancias de Puerto Rico. La antología declara colectivamente, "Tengo a Puerto Rico en mi corazón", y exhorta a apoyar a las agrupaciones de autogestión que se han organizado por una nación sin colonialismo y sin explotación.

CONTRIBUTORS / CONTRIBUIDORES / CONTRIBUIDORAS

WRITERS:

AMARA ABDAL FIGUEROA

Kuwaiti/Puerto Rican artist and environmental advocate returns to Puerto Rico after twelve years of living and learning nomadically overseas. Her artistic and architectural practice (BFA and B.Arch, Rhode Island School of Design) is regenerative, focusing on the earth, how nature reflects culture, how material extractions separate or connect us to our current ground, and how materials are sourced and transformed.

———

Artista kuwaití/puertorriqueña y defensora del medio ambiental regresa a la isla después de doce años de vida y aprendizaje nómada en el extranjero. Su práctica artística y arquitectónica (BFA y B.Arch, Rhode Island School of Design) es regenerativa, se centra en la tierra, cómo la naturaleza refleja la cultura, cómo las extracciones de materiales nos separan o conectan con nuestro terreno, y como los materiales se obtienen y se transforman.

RAFAEL CANCEL MIRANDA

Lifelong activist for Puerto Rico's independence, he is a member of the Nationalist Party and one of the five nationalists who spent more than 25 years in US prisons following armed protests in Washington D.C. to draw attention to the colonial case of Puerto Rico. Freed in 1979 as result of an international campaign, he continues to speak for the island's independence and the release of Puerto Rican political prisoners.

———

Activista de toda la vida por la independencia de Puerto Rico, es miembro del Partido Nacionalista y uno de los cinco nacionalistas que pasaron más de 25 años en las prisiones de Estados Unidos luego de protestas armadas en Washington, D.C. para llamar atención sobre el caso colonial de Puerto Rico. Liberado en 1979 como resultado de una campaña internacional, continúa hablando por la independencia de la isla y la liberación de los presos políticos puertorriqueños.

MARIELA CRUZ

Born in Santurce, Puerto Rico, she has a bachelor's in nursing and a master's in counseling. She has published several books, including *Mancha de Plátano, Esperaré en mi País Invisible, Héroes sin capas, Chocolatino sigue instrucciones,* and her autobiography, *Soldado de blanco.* A member of the International Association of Poets and Writers, she has represented Puerto Rico at festivals and congresses in Panama, Cuba, and Spain.

––––––

Nació en Santurce, Puerto Rico; tiene un bachillerato en enfermería y una maestría en consejería. Ha publicado varios libros, incluyendo *Mancha de plátano, Esperaré en mi país invisible, Héroes sin capas, Chocolatino sigue instrucciones,* y su autobiografía, *Soldado de blanco.* Pertenece a la Asociación Internacional de Poetas y Escritores, y ha representado a Puerto Rico en festivales y congresos en Panamá, Cuba y España.

SARAH DALILAH CRUZ ORTIZ

Born in Ponce, Puerto Rico in 2008, she was raised under her mother's guidance in an environment full of poetry and art. Her first collection of poems, *Dreams Between Verses of My Childhood,* was published in 2015. With the support of the collective *Las Musas Descalzas,* she makes presentations throughout the island. She is the youngest poet in Puerto Rico and is known as Ninfa Dalilah.

––––––

Nació en Ponce, Puerto Rico en el 2008. Bajo la dirección de su madre, fue criada en un ambiente lleno de poesía y arte. *Sueños mágicos entre versos de mi infancia,* su primer poemario se publico en 2015. Con el apoyo de la colectiva *Las Musas Descalzas* hace presentaciones por toda la isla. Es la poeta más joven de Puerto Rico, conocida como la Ninfa Dalilah.

ISMAEL "KIQUE" CUBERO GARCIA

Documentarian, organizer, and auriculotherapist with the Center for Political, Educational and Cultural Development; a founding member of the Documentary Association of Puerto Rico and of the Mutual Support Center of Caguas. He was a member of the University Federation Pro Independence (1996-1998) and the International Socialist Organization (2012-2013). He has a bachelor's degree from the University of Puerto Rico and a documentary film degree from the International Film and Television School of Cuba.

Es documentalista, organizador político y auriculoterapista del Centro para el Desarrollo Político, Educativo y Cultural; miembro fundador de la Asociación de Documentalistas de Puerto Rico y del Centro de Apoyo Mutuo de Caguas. Fue miembro de la Federación Universitaria Pro Independencia (1996-1998) y de la Organización Socialista Internacional (2012-2013). Obtuvo un bachillerato de la Universidad de Puerto Rico y un grado de documentalista de la Escuela Internacional de Cine y Televisión de Cuba.

JOSÉ ERNESTO DELGADO HERNANDEZ

Born in Rio Piedras, he grew up in Caguas, Puerto Rico. He is a father by vocation and a poet by beautiful accident. In 2011, he published his first book, *Bajo la sombra de las palabras,* and was invited to participate in the International Poetry Festival of Puerto Rico. His other books include: *Tatuajes: del amor a la piel* (2013), *La brújula de los pájaros* (2016), *A vuelo de pájaro* (2016) and *1.9.2.3* (2018).

Nació en Rio Piedras y se crio en Caguas Puerto Rico. Es padre por vocación y poeta por hermoso accidente de la vida. En el 2011 publica su primer libro, *Bajo la sombra de las palabras,* y es invitado a participar en el Festival Internacional de Poesía de Puerto Rico. Sus otros libros incluyen: *Tatuajes; del amor a la piel* (2013), *La brújula de los pájaros* (2016), *A vuelo de pájaro* (2016) y *1.9.2.3* (2018).

RAQUELA DELGADO VALENTÍN

Feminist, Independentista, socialist, and social worker, she has a master's degree from the University of Puerto Rico in Río Piedras where she is a doctoral student. As a social worker, she has dedicated herself to working with women survivors of gender violence and to strengthening the academic performance of public school students. She is a founding member of *la Guerrilla Feminista del Oeste, la Colectiva Feminista, La Nueva Escuela,* and *la Brigada Solidaria del Oeste.*

Feminista, Independentista, socialista y trabajadora social, tiene una maestría de la Universidad de Puerto Rico, recinto de Río Piedras, y es estudiante doctoral de dicha universidad. Como trabajadora social ha trabajado con mujeres sobrevivientes de violencia de género y en fortalecer el desempeño académico de estudiantes de escuelas públicas en Mayagüez. Es miembra fundadora de la Guerrilla Feminista del Oeste, Colectiva Feminista, La Nueva Escuela y de la Brigada Solidaria del Oeste.

ROBERTO A. FRANCO CARDONA

Born and raised in Arecibo, Puerto Rico, he is a poet, painter, and artisan. He studied communications at the American College in Bayamon and subsequently studied art at Boricua College in New York City. Presently, he lives in the mountains of San Geman. He is dedicated to being a full-time artist and makes a living working in construction, farming, and as a handyman. He is the father of two children and has two grandchildren.

––––––

Nacido y criado en Arecibo, Puerto Rico, es poeta, pintor y artesano. Estudió comunicaciones en el American College en Bayamon y posteriormente estudió arte en Boricua College en la ciudad de Nueva York. Actualmente, vive en las montañas de San Geman. Se dedica a ser un artista a tiempo complete y se gana la vida trabajando en la construcción, la agricultura, y como handyman. Es padre de dos hijos y tiene dos nietos.

YASMÍN HERNANDEZ

www.yasminhernandezart.com

Brooklyn-born and raised, her work is rooted in decolonial strategies and liberation practices. Her East Harlem mural *Soldaderas* features Frida Kahlo and Julia de Burgos, and her painting *De-Debt/ Decolonize* was part of the 2017 Whitney Biennial. She studied art at Cornell University and has worked as an artist educator. It was Vieques that sparked her fascination with bioluminescence, light, and the cosmos, and led her to rematriate to Borikén in 2014.

––––––

Nacida y criada en Nueva York en el condado de Brooklyn, su trabajo se basa en estrategias decoloniales y prácticas de liberación. Su mural *Soldaderas* en East Harlem presenta a Frida Kahlo y Julia de Burgos, y su pintura *De-Debt/Decolonize* fue parte de la Bienal de Whitney 2017. Estudió arte en la Universidad de Cornell y ha trabajado como artista educadora. Fue Vieques lo que provocó su fascinación por la bio-luminiscencia, la luz y el cosmos y la llevó a rematriarse a Borikén en 2014.

ALBERTO MARTÍNEZ-MARQUEZ

Poet, essayist, scriptwriter, artisan, and amateur photographer, he has published extensively including poetry books and essays, and served as an anthologist. He has been a professor at the University of Puerto Rico (UPR) in Mayagüez and the Inter-American University of Aguadilla. Since 1997, he has worked at the UPR in Aguadilla and is a visiting professor at the Universidad del Sagrado Corazón. He publishes *Letras Salvajes*, an online magazine.

––––––

Poeta, ensayista, guionista, artesano y fotógrafo aficionado, ha publicado libros de poesía y ensayos. Ha servido como antólogo. Ha sido profesor en la Universidad de Puerto Rico en Mayagüez y en la Universidad Interamericana de Aguadilla. Desde 1997, ha trabajado en la UPR en Aguadilla y es profesor visitante en la Universidad del Sagrado Corazón. Es el editor de *Letras Salvajes*, una revista en línea.

ARTURO MASSOL DEYÁ

Professor of Microbial Ecology at the University of Puerto Rico, Mayagüez campus, Roddenberry 2019 Fellow, and Associate Director of Casa Pueblo in Adjuntas, an internationally known non-profit environmental community-based organization, dedicated to the appreciation and protection of natural, cultural, and human resources. He is a columnist with *La Perla del Sur,* a weekly newspaper and a contributor to *80grados,* an online magazine.

––––––

Profesor de ecología microbiana en la Universidad de Puerto Rico, recinto de Mayagüez, Roddenberry 2019 Fellow y director asociado de Casa Pueblo en Adjuntas, una organización comunitaria ambiental sin fines de lucro conocida internacionalmente, dedicada a la apreciación y protección de los recursos naturales, culturales y humanos. Es columnista de *La Perla del Sur,* un periódico semanal y colaborador de *80grados,* una revista en línea.

MARI MARI NARVÁEZ

Studied investigative journalism, Latin American studies, history, and gender studies, and is a columnist for the *Claridad* newspaper. She is the coauthor of the books: *Del desorden habitual de las cosas*; *Fuera del quicio* and *Palabras en libertad: entrevistas a los ex-prisioneros políticos puertorriqueños*. In 2018, she founded Kilómetro Cero, developing projects that promote citizen power in the areas of community security, justice, and participation.

Estudió Periodismo investigativo, Estudios latinoamericanos, Historia y Estudios de género. Es columnista del periódico, *Claridad*. Es coautora de los libros: *Del desorden habitual de las cosas* ; *Fuera del quicio* ; y *Palabras en libertad: entrevistas a los ex-prisioneros políticos puertorriqueños*. En 2018, fundó Kilómetro Cero, que desarrolla proyectos que promueven el poder ciudadano en las áreas de seguridad comunitaria, justicia y participación.

JOSÉ "PEPE" ORRACA-BRANDENBERGER

A renowned screenwriter and filmmaker, his audiovisual work includes the films: *Callando Amores, Punto 45* and *Siempre Te Amaré*. His work as an essayist has been published in *El Nuevo Día* and in *Atlanta Latino*. His publications include *Law, Cinema, and Reality* (2004); *Manual for the Film Director* (2011); *Imbroglio* (2016); *The Economic Hysteria of Puerto Rico* (2017); and *5 Reasons and an Epilogue* (2018).

Reconocido guionista y cineasta, su trabajo audiovisual incluye las películas: *Callando Amores, Punto 45* y *Siempre Te Amaré*. Su trabajo como ensayista ha sido publicado en *El Nuevo Día* y en *Atlanta Latino*. Sus publicaciones incluyen *Law, Cinema, and Reality* (2004); *Manual for the Film Director* (2011); *Imbroglio* (2016); *The Economic Hysteria of Puerto Rico* (2017); y *5 Reasons and an Epilogue* (2018).

ANA PORTNOY BRIMMER

Poet/performer, nonfiction writer, and ARTivist, she holds a BA and MA in English (Literature) from the University of Puerto Rico and an MFA candidate in Creative Writing (Poetry) at Rutgers University-Newark. She is the inaugural recipient of Under The Volcano International's *Sandra Cisneros Fellowship*, and a *Voices of Our Nations Arts Foundation-VONA/VOICES Fellow*, an *Under The Volcano Fellow*, a *Las Dos Brujas Writing Workshop* Alumna, and an inaugural *Moko Writers' Workshop* Alumna.

Poeta / performera, escritora de no ficción y ARTivista, tiene un bachillerato y una maestría en inglés (literatura) de la Universidad de Puerto Rico y es candidata a la Maestría en Escritura Creativa (poesía) en Rutgers University-Newark. Es la ganadora inaugural de la beca *Sandra Cisneros de Under The Volcano International*, y becaria de *Voces de Nuestras Naciones VONA/VOICES de la*

Fundación de Artes, y de *Under The Volcano,* alumna de *Las Dos Brujas Taller de Escritura,* y alumna inaugural del Moko Writers' Workshop.

MAITE ORTIZ

Literature scholar, writer, and university professor, she studied at the University of Puerto Rico, Río Piedras campus, where she obtained all possible degrees in her area of study. She is the administrator of the blog *elucubrando.com,* has published articles in specialized magazines, and presented papers at congresses and academic meetings. Her stories and poems appear in anthologies and magazines. Her first book, *Ojos llenos de arena,* was published in 2018.

Licenciada en literatura, escritora y profesora universitaria. Estudió en la Universidad de Puerto Rico, recinto de Río Piedras, donde obtuvo todos los títulos universitarios posibles en su área de estudio. Es administradora del blog *elucubrando.com,* ha publicado artículos en revistas especializadas y presentado ponencias en congresos y reuniones académicas. Sus cuentos y poemas aparecen en antologías y revistas. Su primer libro, *Ojos llenos de arena,* se publico en 2018.

ROBERTO RAMOS-PEREA

General Director of the National Archives of Theater and Cinema of Puerto Rico, Rector of the Conservatory of Dramatic Art, and President of the Alejandro Tapia y Rivera Institute, he has premiered and published over one hundred plays. He won the Tirso de Molina Prize for his work *Miénteme más,* the highest award offered a Spanish-speaking dramatist in the world. He has directed and written seven Puerto Rican films.

Director General del Archivo Nacional de Teatro y Cine del Ateneo Puertorriqueño, Rector del Conservatorio de Arte Dramático, y Presidente del Instituto Alejandro Tapia y Rivera, ha estrenado y publicado más de cien obras teatrales. Ganó el Premio Tirso de Molina por su obra *Miénteme más,* el más alto premio que se le ofrece a un dramaturgo de habla hispana en el mundo. Ha dirigido y escrito siete películas puertorriqueñas.

MARICRUZ RIVERA CLEMENTE

Afro-descendant activist from Piñones in the town of Loíza, she has a bachelor's in sociology, a master's in social work, and is a doctoral student in social work and social policy at the University of Puerto Rico. In 1999, she founded Corporación Piñones se Integra (COPI) with anti-racist, decolonial, and liberation perspectives. She has been active in the struggle for the conservation of natural resources and Mother Earth, and is a defender of human rights.

––––––

Activista afrodescendiente de Piñones en el pueblo de Loíza, tiene un bachillerato en sociología, maestría en trabajo social y es estudiante doctoral en trabajo social y política social en la Universidad de Puerto Rico. En 1999, fundó la Corporación Piñones se Integra (COPI) con perspectiva antirracista, decolonial y de liberación. Ha sido activa en la lucha por la conservación de recursos naturales y de la Madre Tierra y también es defensora de los derechos humanos.

GIOVANNI ROBERTO CÁEZ

Activist and organizer for the Center for Political, Educational and Cultural Development. (CDPEC, Spanish acronym). He was a student leader during the 2010-2011 mobilizations at the University of Puerto Rico. Since 2013, CDPEC and its community kitchens programs have pioneered new resistance to austerity. CDPEC organized mutual support centers after Hurricane María to distribute food and help the population in need. These are now working to be permanent popular spaces.

––––––

Activista y organizador con el Centro para el Desarrollo Político, Educativo y Cultural (CDPEC). Fue líder estudiantil en la Universidad de Puerto Rico durante las movilizaciones de 2010-2011. Desde el 2013, el CDPEC y sus comedores sociales han sido pioneros en la resistencia a las políticas de austeridad. Después del huracán María, el CDPEC organizó centros de apoyo mutuo para distribuir alimentos y ayudar a la población. Estos ahora están trabajando para ser espacios populares permanentes.

MARÍA DEL MAR ROSA-RODRÍGUEZ

Graduate of the University of Puerto Rico in Río Piedras, she received her PhD from Emory University and is an Associate Professor of Hispanic Studies at the University of Puerto Rico in Cayey. She taught at US universities for more than ten years before returning home in 2016. Her research focuses on the cultural production of Muslims, Jews, and Christians in 17th Century-Spain and the Israeli-Palestinian conflict; she is the author of *Aljamiado Legends: The Literature and Life of Crypto-Muslims in Imperial Spain* (2018).

———

Graduada de la Universidad de Puerto Rico en Río Piedras, obtuvo su PhD en Emory University y es catedrática asociada de Estudios Hispánicos en la Universidad de Puerto Rico en Cayey. Enseñó en universidades norteamericanas por más de diez años antes de regresar a la isla en el 2016. Su investigación se enfoca en la producción cultural de musulmanes, cristianos y judíos en el siglo 17 español y el conflicto entre Palestina e Israel. Es la autora de *Aljamiado Legends: The Literature and Life of Crypto-Muslims in Imperial Spain* (2018).

RUTH SANTIAGO

Resident of Salinas in southeastern Puerto Rico where she has worked with community and environmental organizations, fishing associations and other groups on a range of community projects for more than thirty years and has been involved in establishing broad alliances to prevent water pollution from landfills, power plant emissions and discharges, and coal combustion residual waste, and to promote solar communities and energy democracy.

———

Residente de Salinas en el sureste de Puerto Rico, donde ha trabajado con organizaciones comunitarias y ambientales, asociaciones de pescadores y otros grupos en proyectos comúnitarios por más de treinta años y ha participado en establecimiento de alianzas amplias para prevenir la contaminación del agua de los rellenos sanitarios, las emisiones y descargas de las centrales eléctricas y los residuos de la combustión del carbón y promover las comunidades solares y la democracia energética.

ROBERTO JOSÉ THOMAS RAMÍREZ

Activist and Coordinador of Iniciativa de Ecodesarrollo de Bahía de Jobos (IDEBAJO), he is deeply committed to the work of community development and autonomy as a way to transform Puerto Rico. He also works and collaborates with *Se Acabaron las Promesas,* a movement organizing for decolonization.

––––––––

Activista y Coordinador de Iniciativa de Ecodesarrollo de Bahía de Jobos (IDEBAJO), está profundamente comprometido con el trabajo de desarrollo comunitario y autonomía como una forma de transformar a Puerto Rico. Tambien colabora con Se Acabaron las Promesas, un movimiento que organiza por la descolonización de la isla.

ANA TERESA TORO

Journalist, writer, and columnist in Puerto Rican and international media such as *El Nuevo Día, El Malpensante* in Colombia, *Altair* in Spain, *ECOS* in Germany, Distinct Latitudes in Mexico and *The New York Times* in Spanish. She is the author of the novel *Cartas al agua* (La secta de los perros, 2015) and the chronicles books *Las narices de los perros* (Callejón 2015) and *El cuerpo de la abuela* (Editorial of the Institute of Puerto Rican Culture, 2016).

––––––––

Periodista, escritora, y columnista en medios puertorriqueños e internacionales como *El Nuevo Día, El Malpensante* de Colombia, *Altair* de España, *ECOS* de Alemania, *Distintas Latitudes* de México y *The New York Times* en español. Es autora de la novela *Cartas al agua* (La secta de los perros, 2015) y de los libros de crónicas *Las narices de los perros* (Callejón 2015) y *El cuerpo de la abuela* (Editorial del Instituto de Cultura Puertorriqueña, 2016).

CONTRIBUTING ORGANIZATIONS / ORGANIZACIONES CONTRIBUYENTES:

CIVILEATS.COM

This daily news source publishes stories about sustainable agriculture in an effort to build economically and socially just communities. Contributor Heather Gies is a freelance journalist who writes about human rights and politics in Latin America.

––––––––

Esta fuente de noticias diarias publica historias sobre agricultura sostenible en un esfuerzo por construir comunidades económica y socialmente justas. La colaboradora Heather Gies es una periodista independiente que escribe sobre derechos humanos y política en América Latina.

JUNTEGENTE.ORG

Organizations resisting neoliberal capitalism and fighting for a just and sustainable Puerto Rico united in January 2018 moved by the question: what can we do together that we cannot do alone?

———————

Organizaciones que resisten el capitalismo neoliberal mientras construyen un país más justo y solidario se unen en enero del 2018 movidas por la pregunta, ¿qué podemos hacer juntos y juntas que no podemos hacer por separado?

LABORNOTES.ORG

Media and organizing project that has been the voice of union activists who want to put the movement back in the labor movement since 1979.

———————

Un proyecto de medios y organización que ha sido la voz de activistas sindicales que quieren volver a poner el movimiento en el movimiento laboral desde 1979.

REFERENCED COMMUNITY ORGANIZATIONS / ORGANIZACIONES COMUNITARIAS REFERIDAS POR LOS AUTORES Y LAS AUTORAS

Asociación de Documentalistas de Puerto Rico
        www.facebook.com/adocpr/
Brigada de Todxs
        www.facebook.com/pg/brigada-de-todxs
Brigada Solidaria del Oeste
        www.facebook.com/brigadasolidariaoeste
CAM. Centro de Apoyo Mutuo
        www.facebook.com/Centro-de-Apoyo-Mutuo
Casa Pueblo
        http://casapueblo.org

CDPEC. Centro de Desarrollo Politico, Educativo y Cultural
www.cdpecpr.org
Colectiva Feminista en Construcion
www.facebook.com/Colectiva.Feminista.PR/
COPI. La Corporación Piñones Se Integra
http://copipr.com
Federación de Maestros de Puerto Rico (FMPR)
www.facebook.com/federaciondemaestrosdepuertorico
IDEBAJO. Iniciativa de EcoDesarrollo de Bahía de Jobos
https://idebajo.wordpress.com
Junta Comunitaria Poblado Coquí, Inc.
www.facebook.com/Junta-Comunitaria-Poblado-Coqui
Kilómetro Cero
www.kilometro0.org
Las Musas Descalzas
www.facebook.com/musasdescalzas
Letras Salvajes
www.facebook.com/revistaletrassalvajes/
MAATI
http://camposdegutierrez.org/maati/
Organización Boricuá de Agricultura Ecológica
http://organizacionboricua.blogspot.com/p/quienes-
somos.html
Queremos Sol
https://www.queremossolpr.com
Red Apoyo Mutuo
https://redapoyomutuopr.com
Se Acabaron las Promesas
www.facebook.com/seacabaronlaspromesas/
Urbe Apie
www.urbeapie.com

MAIN ADVISORS / ASESORES PRINCIPALES

JOSÉ ÁNGEL FIGUEROA

Born in Mayagüez, Puerto Rico, he is a poet, actor, playwright, editor, and professor of Puerto Rican, Latin American and Caribbean Literature at Boricua College. One of the poets associated with the early Nuyorican literary movement, his writings have been translated and published in many anthologies and literary journals, including *The Norton Anthology of Latino Literature*. He is the author of *A Mirror in My Own Backstage, Un Espejo En Mi Propio Bastidor, Hypocrisy Held Hostage, Noo Jork*, and *East 110th Street*.

Nació en Mayagüez, Puerto Rico, es poeta, actor, dramaturgo, editor y profesor de literatura puertorriqueña, latinoamericana y caribeña en el Boricua College. Uno de los poetas asociados con los primeros años del movimiento literario Nuyorican, sus escritos han sido traducidos y publicados en numerosas antologías y revistas literarias, incluida *The Norton Anthology of Latino Literature*. Sus libros incluyen *A Mirror in My Own Backstage, Un Espejo En Mi Propio Bastidor, Hypocrisy Held Hostage, Noo Jork* y *East 110th Street*.

ÁNGEL ANTONIO RUIZ LABOY

A graduate of the University of Puerto Rico at Río Piedras, he received a master's in Creative Writing from New York University. His books include: *Anzuelos y carnadas, El tiempo de los escarabajos, Hemisferio de la sombra* y *canto a la ceniza*. He received the National Poetry Prize of the Institute of Puerto Rican Culture and the International Poetry Prize Casa de los Poetas among others. As editor he founded Erizo Editorial and served as director of the Editorial of the Institute of Puerto Rican Culture.

Se graduó de la Universidad de Puerto Rico en Río Piedras, y recibió una maestría en Escritura Creativa de New York University. Sus libros publicados incluyen, *Anzuelos y carnadas, El tiempo de los escarabajos, Hemisferio de la sombra* y *Canto a la ceniza*. Ganó el Premio Nacional de Poesía del Instituto de Cultura Puertorriqueña y el Premio Internacional de Poesía Casa de los Poetas, entre otros. Como editor fundó la Editorial Erizo y dirigió la Editorial del Instituto de Cultura Puertorriqueña.

TRANSLATORS/ TRADUCTORAS

'Intersectionalism©: n. the art and process through which ideas and concepts are transmitted beyond the natural boundaries of the groups who experience and develop them, making use of intersections at tangential points as portals for broader dissemination.' –Laura Virella

Spearheaded by Laura Virella and Miriam Browning-Nance, Language Divas provides a wide array of linguistic services, driven by cultural and contextual understanding in order to deliver compelling, idiomatic communications.

A mezzo-soprano and writer from San Juan, Virella uses her work dually: to aid in human connection and to place Puerto Rico on the world stage. The current social climate, brimming with movements to resist and reclaim, seems auspicious—the time has come for 'intersectionalism,' and for Puerto Rico to be heard.

––––––

Interseccionismo©: m. arte y proceso mediante el cual se transmiten ideas y conceptos más allá de las fronteras naturales de los grupos en cuya experiencia se desarrollan, aprovechando puntos tangenciales o de intersección a modo de portales para alcanzar un mayor grado de difusión'. –Laura Virella

Bajo el liderato de Laura Virella y Miriam Browning-Nance, Language Divas ejecuta una amplia gama de servicios lingüísticos, partiendo desde el entendimiento cultural y contextual, a fin de desarrollar comunicaciones idiomáticas y persuasivas.

Nacida y criada en San Juan, Virella utiliza su trabajo como herramienta de doble filo: por un lado, crea conexión humana y por el otro, infiltra a Puerto Rico en el escenario mundial. Estos tiempos actuales, salpicados de revolución y reivindicación colectiva, son indudablemente propicios: ha llegado el momento del 'interseccionismo' en función de Puerto Rico.

EDITOR / EDITORA

Iris Morales is the founding director and executive editor at Red Sugarcane Press. She is a lifelong activist, organizer, feminist, and educator dedicated to social justice, racial equality, women's rights, and the decolonization of Puerto Rico, and collaborates with activists and artists on these and other human rights issues. Her love of community and storytelling led her to media production as a tool for social change. She has published several books, including *Latinas: Struggles & Protests in 21ˢᵗ Century USA* and *Through the Eyes of Rebel Women, The Young Lords 1969 to 1976,* and is the producer of the award-winning documentary, *¡Palante, Siempre Palante!, The Young Lords.* She is an attorney, a graduate of New York University School of Law, and holds an MFA in Integrated Media Arts from Hunter College.

————

Iris Morales es la directora fundadora y editora executiva de Red Sugarcane Press. Es una activista, feminista y educadora dedicada a la justicia social, la igualdad racial, los derechos de las mujeres, y la descolonización de Puerto Rico. Ella colabora con activistas y artistas en estos y otros temas de derechos humanos. Su amor por la comunidad y la historia la llevó a la producción de medios como una herramienta para el cambio social. Ha publicado varios libros, entre ellos *Latinas: Struggles & Protests in 21ˢᵗ Century USA* y *Through the Eyes of Rebel Women, The Young Lords 1969 to 1976,* y es la productora del galardonado documental, *¡Palante, Siempre Palante!, The Young Lords.* Ella es abogada, graduada de la Facultad de Derecho de la Universidad de Nueva York, y tiene una maestría en Bellas Artes en Medios Integrados de Hunter College.

RED SUGARCANE PRESS

An independent press created to present the rich culture and history of the Puerto Rican, Latinx, and African Diasporas in the Americas. Red Sugarcane Press publishes authors whose distinct voices break new ground, broaden our understanding, inspire, promote dialogue, and entertain. Our interest is in works that reflect the passions and convictions of people's lives and struggles, especially the untold or forgotten stories from the journeys of indigenous and African peoples in the Americas who from enslavement to the present have triumphed through the courage and tenacity of many generations.

Editorial independiente creada para presentar la rica cultura e historia de las diásporas Puertorriqueñas, Latinx y Africanas en las Américas. Red Sugarcane Press publica autores cuyas voces distintas abren nuevos caminos, amplían nuestra comprensión, inspiran, promueven el diálogo y entretienen. Nuestro interés está en las obras que reflejan las pasiones y convicciones de las vidas y luchas del pueblo, especialmente las historias no contadas u olvidadas de las experencias de los pueblos indígenas y africanos en las Américas que desde la esclavitud hasta el presente tienen triunfo a través del coraje y la tenacidad de muchas generaciones.

www.RedSugarcanePress.com
facebook.com/redsugarcanepress
info@redsugarcanepress.com

CPSIA information can be obtained
at www.ICGtesting.com
Printed in the USA
BVHW041311210820
587002BV00012B/137